楊照作品集③

# 在閱讀的密林中

目次

# 作品集總序　　　　楊照

我少年時候讀徐志摩的〈自剖〉，深感困惑。文章一開頭說：

我是個好動的人，每回我身體行動的時候，我的思想也彷彿就跟著跳盪，……我愛動，愛看動的事物，愛活潑的人，愛水，愛空中的飛鳥，愛車窗外掣過的田野山水……

然而第二段立刻急轉直下，變成了：

近來卻大大的變樣了。第一我自身的肢體，已不如原先靈活；我的心也同樣的感受了不知是年歲還是什麼的縶，動的現象再不能給我歡喜，給我啟示。……

整篇〈自剖〉，就是在剖析為什麼會發生這徹底的大變化，徐志摩創造了一個虛構的朋友的聲音，用嘲諷的語氣幫他解釋了變化後面的緣由，這一部分論理少年我讀不懂，我也沒興趣。可是無論如何我忘不了這段幽黯的描述：

先前我看著在陽光中閃爍的金波，就彷彿看見了神仙宮闕
──什麼荒誕美麗的幻覺，不在我的腦中一閃閃的掠過；
現在不同了，陽光只是陽光，流波流波，任憑景色怎樣的
燦爛，再也照不進我的呆木的心靈。我的思想，如其偶爾
有，也只似岩石上的藤蘿，貼著枯乾的粗糙的石面，極困
難的蜒著，顏色是蒼黑的，姿態是倔強的。

我困惑，人生真的會這樣嗎？年歲增長，連像徐志摩這樣的浪
漫精神化身，都會被窒息了那些活躍波動的感觸，都會被拘執
固定成一顆枯呆安靜的靈魂嗎？

少年時候，還讀到葉珊（楊牧）的〈作別〉，深感沮喪。
〈作別〉裡寫著：

多少年來，朝山的香客已經疲倦，風塵在臉上印下許多深
溝，雨雪磨損了趕路的豪情。我也曾經在盛唐的古松下迷
戀過樹蔭，我也曾經在野地的寺院裡醫治了創傷；我在獵
人的篝火前取暖，在野獸的足印裡辨識惟一的方向。只因
為遙遠的地方有肅穆的詩靈──而我已經疲倦，倦於行
走，倦於歌唱。……事實上我已經很厭倦於思維。我感覺
到彩虹的無聊與多餘，我體會到春雨的沉悶與喧鬧；我已
經不再能夠掌握鳥囀的喜悅了，看楓樹飄羽，榆錢遮天，
那種早期的迷戀也會蕩然。

為什麼感動與追求，會帶來疲倦與蕩然呢？為什麼行走、歌唱

和思維，竟然會帶來絕望的疲憊呢？我不瞭解，正因爲不瞭解，更覺得其中有一股荒荒忽忽，如遠方雷鳴或山頂席捲而下的風吼般的巨大威脅。

後來讀了白先勇的〈冬夜〉，心情更是轉爲宿命的無奈，原來所有的理想都根源自春青騷動；原來青春結束了，與理想相依相附的一切，浪漫的感懷、激烈的情緒還有與人與物之間的相繫感應，也都會消逝。就像〈冬夜〉裡那兩位老先生，自己被壓在現實底下動彈不得，只能保留一小塊心靈田地，想像著也許遠在地球另一端的對方，還在爲年少的理想前進奮鬥。兩人久別終於相見，得到的不是舊情誼的溫暖，而是互相揭開現實眞相後，彼此的終極幻滅。沒有人眞正能一直持有理想──這個天啓式的暗影悄悄全面籠罩，讓那個冬天夜晚那麼冷那麼冷。

年輕時，我努力寫作，因爲知道青春是有限的，理想與感動或許也是有限的。我的心底藏著一股袪除不掉的恐懼，不知哪一瞬間會有怪獸倏然躍出，大口大口吞噬掉我的青春與理想與感動，只留呆木與疲倦給我。對抗這想像（卻如此眞實）怪獸的方法，我唯一的方法，就是寫作，留下白紙黑字的記錄，留下怪獸吃不掉消滅不了的鐵證，證明自己青春過、理想過、感動過。

一路寫下來，對於怪獸的恐懼仍然不時閃動著，不過卻也慢慢發現了寫作不同層次的意義。原來以爲寫作只是保留青春、理想、感動證據的手段，寫到一個程度才驀然理解：原來寫作同時可以刺激、甚至逼迫青春、理想與感動，不那麼快從生命舞台上謝幕隱退。

　　累積的一行一行，一頁一頁，就像是過程的自己，不斷向現在的自我提醒喊話。十幾二十年來逢遇的讀者也不時殷勤持問著、關心著。於是所寫的與所活過的糾纏搏合成不可分不可辨的整體，不可能單純回頭指認這中間哪些是經驗哪些是記錄，哪些是過去哪些是現在。

　　這整體是我，這整體才是我。那時間變化中，留下了與社會時代掙扎互涉，直至遺忘時間或超越時間的整體，才是我能呈現我能提供的最終與最高，也才是和我摯愛的地方一起繼續動下去的夢想原力。

【自序】

# 在閱讀的密林中

一

美國詩人William Matthews多年前曾戲謔地歸納，當代文學雜誌上刊登的詩作，大概只有幾種主題：

一、我今天走進林中，感受到某種，你知道的，某種宗教性；

二、我們都不可能變得更年輕啊；

三、我覺得寒冷且孤獨，因爲(A)你（妳）不在身邊，或(B)你（妳）就在身邊；

四、快樂與悲哀像是一塊銅板的正反兩面，然而不管怎樣我們總是把銅板花到莫名其妙的地方去了。

William Matthews的本意是精巧幽默、卻又毫不客氣地嘲諷那些創意不足、只會反覆感傷的當代詩人們。不過讀著Matthews的批判，我反而領悟到詩之所以存在、文學之所以存在，甚至閱讀的所以存在的重要根源理由。

我們都無法擺脫這四種情境與情緒的交雜糾纏。生活再如何改變、科技再怎麼進步，再不敏感再遲鈍的人，都不可能完全對這幾項情境與情緒免疫。

　　這四種情境與情緒壓著我們的胸臆，逼著我們想要吐露訴說；然而不像其他的壓力，這四種感受偏偏無法靠吐露訴說來發洩紓解。

　　我們解釋完了所有的宗教信條，還是無法明白自己內在的神祕宗教觀是什麼。我們怨歎完了時間的無情，時間還是繼續走著。我們說了再多的話，酒店都打烊了，聽眾也走光，孤寂堅持陪著我們。為什麼快樂總與悲哀糾纏不清？我們花掉了再多銅板還是弄不懂。

　　那怎麼辦呢？這些情緒一不小心就成了執迷(obsession)，陰魂不散籠罩在我們生活四周。逼著我們不斷尋找不同的訴說方式，不斷尋找不同的角度與方向，不斷趨近再不斷離開。

　　閱讀別人的經驗與感觸，提供了我們豐沛、隨時可取用，而且變化多端的情緒資源。我們藉著閱讀的幫助，能夠更從容地應付這些情緒不時潮襲而來的攻擊。

　　詩人也許需要去開發更多更新的題裁，然而古老永恆的情緒，卻絕對不會從我們生活中褪去消失。永遠都會有人陷在這些情緒的折磨裡，也就永遠有人在書寫在閱讀，或在尋找書寫與閱讀的途上逡巡徘徊。閱讀與書寫的逡巡徘徊，和在密林中散步一樣，帶著某種宗教性的暗示或啟悟，永遠不會褪去消失。


二


　　閱讀引發書寫，書寫又帶來更大的閱讀欲望，這是人生最

美妙的循環。這同時也像是最令人無法抗拒的冒險經驗。

　　讀讀村上春樹在《海邊的卡夫卡》裡的描述吧。小說主角田村卡夫卡隻身走進茂密的森林裡：

> 森林有時從頭上，有時從腳上想要威脅我。往我的脖子吹來一股冷氣。化為千眼細針刺著我的皮膚。以種種的方式，把我當成異物想把我驅逐出去。但我漸漸能夠巧妙地應付這些威脅了。在這裡的森林，終究也是我的一部分哪——我從某個時候開始採取了這樣的看法。我正在自己的內部旅行著。就像血液正順著血管旅行一樣。我現在眼睛所看到的正是我自己的內部，看起來像是威脅的，只有我心中所有恐懼的回音而已。那邊所張開的蜘蛛網就是我心中所張開的蜘蛛網，頭上正在鳴叫的那些鳥就是我自己所飼養的鳥。這種印象在我心中產生，並且逐漸生根下去。

這多麼像是對於閱讀經驗的描述。書裡羅列著許多奇怪異質的東西，然而不知在哪一點上，某個神祕的時刻，閱讀卻翻轉變成了自我的內部旅行。所有外在異質的東西，都變成了自己的一部分。不可或缺也不可分離的一部分。

　　書寫為了確認自己真的在書裡，或說書真的在自己內部。而寫出來的東西又刺激提醒了：前面或後面或四周還有更多更幽深的閱讀的密林，黑黝黝靜闃闃地威脅著，同時卻也誘惑著；異質威脅就是認同誘惑。

三

　　二〇〇〇年春，PChome電子報邀我在網路上開專欄，發個人電子報，沒有多加思索，我就決定以關於書與閱讀的聯想為主軸，開了一家虛擬的「楊照書鋪」。「楊照書鋪」不賣書，卻有對於書的種種評頭論足。每週發報的頻率，以及後來數量龐大的訂閱群眾，使得我選來東說西說的書，多少有點時事熱潮關連。飯島愛來過台灣後，我寫了《柏拉圖式性愛》；李安電影《臥虎藏龍》得奧斯卡時我寫了王度盧；李國鼎逝世時我就重讀《李國鼎口述歷史》；安徒生童話繪本大展在台北開幕我就重讀安徒生童話……大抵是這樣的因緣。議題議論是社會的大家的，不過觀點想法還是明明白白我自己的。

　　寫作這些文章過程中，PChome的楊雯華和《新新聞》的劉伯姬催稿最力，當時痛苦不堪，回頭看卻充滿感激。電子報許多讀者給過鼓勵給過批評，也是讓我不敢鬆懈的力量。印刻的江一鯉、黃筱威費心編輯，一併道謝。

# 第一輯

# 《柏拉圖式性愛》究竟與柏拉圖何干？

飯島愛的這個書名，其實是充滿了弔詭的意義張力，也充滿了潛力的。這個書名最大的張力與潛力，就在於提出一個疑問：在時代與社會地層大挪移後，在我們對於人性與欲望有了完全不一樣的理解後，有沒有可能找到一條路，穿過性與欲望的密林，我們反而才能到達恆久的、超越的整體？

好吧，我知道你八成已經忘掉了這樣一本書，儘管才沒多久前這本書引起過那麼大的騷動，儘管一年一度的台北國際書展中這本書還曾經出盡鋒頭。忘掉這樣一本書，實在也不是什麼不應該的事，畢竟這種書本來就只是著眼於一時的話題性才出版的。

可是我沒忘記，飯島愛的《柏拉圖式性愛》。我念念不忘，因為我一直在等待有人問一個再基本再簡單不過的問題，並且希望有人能夠回答，可是一直等一直等，竟然就是沒有等到。

沒有別人要問，我只好自己提出來問了：

「這本書，飯島愛的《柏拉圖式性愛》，到底干柏拉圖什麼事？」

　　有人翻這本書，專注於尋找有關性愛的段落，我翻這本書，專注找和柏拉圖有關的部分。我可以很負責地說，至少在一般通行的中文本裡，沒有任何一段，甚至沒有一句解釋這本書和柏拉圖之間的關係。

## 柏拉圖與「柏拉圖式愛情」

　　作者不解釋，我們只好自己猜測。猜測一，書名和書的內容恐怕不是一體設計的。飯島愛或幫飯島愛寫內文的這位影子作者，八成沒想到沒料到這書最後會被定名為《柏拉圖式性愛》。

　　猜測二，那個聰明想出書名的編輯，八成是在玩「柏拉圖式愛情」的文意弔詭吧。所以如果要進一步猜測「柏拉圖式性愛」究竟代表什麼意義，我們應該、我們必須先從「柏拉圖式愛情」理解起。

　　現在一般對「柏拉圖式愛情」(Platonic Love)的用法，指的是精神式的戀愛，雖然相愛，卻沒有肉體關係。換句話說，沒有性行為的愛情，是「柏拉圖式愛情」最簡單最通俗的定義。

　　不過可不要因此誤會了，以為柏拉圖這位希臘時代的大哲學家，一生以精神戀愛，只談情說愛不上床著稱。這種概念行為之所以被冠以柏拉圖之名，有更複雜更長遠的經過。

　　雖然我們現在將蘇格拉底尊奉為西方哲學之父，不過蘇格拉底最重要的哲學主張，都記錄在柏拉圖的《對話錄》裡。蘇格拉底每天在思考，思考起來可以一天一夜站著動都不動，每

《柏拉圖式性愛》
飯島愛／著
尖端出版公司

天都在市場街頭朋友家的宴會上和別人爭辯；思考和爭辯都來不及了，哪有時間把他的思考與爭辯寫下來？

雖然也有別的希臘作家，像喜劇家亞里斯多芬妮（Aristophanes）就寫過蘇格拉底其人其事，不過我們到今天還能深刻了解蘇格拉底，其實靠的還是柏拉圖。就連最是膾炙人口、流傳久遠的蘇格拉底的審判，我們都是讀了柏拉圖《對話錄》裡的〈答辯狀〉(Apologia)中清晰的記錄呈現才能得到宛如目睹親歷的感受。

所以蘇格拉底和柏拉圖，其實不完全分得開。柏拉圖《對話錄》裡還記錄了許多與蘇格拉底、柏拉圖同時代希臘人的意見，所以柏拉圖從另一個角度上看，又代表了那個黃金年代的希臘思想主流活力。

## 大說愛情的〈盛宴〉

談到愛情，在《對話錄》中有一篇最重要的作品叫〈盛宴〉(Symposium)。〈盛宴〉整篇談的都是愛情。對話發生的背景是在阿迦同（Agathon）家裡的一場晚宴上。參加晚宴的眾賓客，因為許多都在前一晚已經酩酊爛醉過一次了，所以大家決定暫時不拿酒當作宴會活動的中心。那麼除了飲酒狂歡之外，宴會

上還能幹什麼呢？於是就有人建議大家輪流發表一篇對於愛與愛神的禮讚，來作爲餘興。

在眾賓客既博學又雄辯的演說辭中，我們可以特別注意保薩尼阿斯（Pausanias）和蘇格拉底所說的話。保薩尼阿斯特別明確地指出了愛的重要美德應該在於「恆久持續」，因此愛的對象應該是內在的靈魂而不是外在的肉體。肉體是會隨時間而變遷、敗壞的，只有靈魂、人格是統一、不變的。

蘇格拉底的講法就更複雜了，他先以他慣用的辯證法否定了愛本身是美的、好的，愛是對美、好的追求，必須追求，就代表自己有所匱乏。那麼愛的追求究竟是什麼呢？蘇格拉底一層一層升高他的論證。愛追求美的、好的對象，不是爲了那特定對象本身，而是美與好的原則。不單是追求美與好的原則，而是渴望美與好的原則帶來的不朽、永恆效果。

在蘇格拉底的排行榜上，肉體之美比不上靈魂之美，個體精神的可愛處比不上抽象的律法與制度。對律法與制度的愛，又不如對更抽象的普遍知識之美的愛。最終至高無上的愛，是讓我們和永恆的整體合而爲一的愛。

值得一提的是，〈盛宴〉整篇內容中，完全沒有出現柏拉圖。不只是柏拉圖沒有參加這場盛宴，盛宴的內容是由阿波羅多羅斯（Apollodorus）轉述的，而且聽阿波羅多羅斯說故事的人，也沒明講就是柏拉圖。

然而這樣的形式，卻無害於〈盛宴〉成爲整部《對話錄》中，和〈共和國〉齊名的重要作品。〈共和國〉是希臘古典時代最了不起的政治論文，〈盛宴〉則是希臘古典時代最了不起

的愛情詮釋。

古典時代結束後，基督教籠罩的中古時期，上帝成了人生活裡逃躲不掉的唯一重心。在教會控制的神學知識裡，人與人之間的愛是不重要的，甚至是有問題的，真正重要的只有上帝對人的愛，以及人對上帝的信仰崇拜，人與人間的互愛，尤其是男女之間的愛，亞當與夏娃的肉體結合，是人類的原罪，是人類之所以被逐出伊甸園的主因。

換句話說，長達幾百年的時間中，西方世界不可能再產生任何詮釋、歌頌人間愛情，尤其男女愛情的文獻。一直到文藝復興時代，教會的控制快速鬆解，新的人文視野浮現，古典希臘羅馬歷史重新被挖掘、賞析，一切都不同了。

## 愛情捲土重來

文藝復興時代的人們，熱情地閱讀，甚至擁抱〈盛宴〉。一方面因為〈盛宴〉中對愛情多角度多層次的討論考掘，對才從中古世紀走出來的人而言，簡直是不可思議的特技表演。原本被教會鄙視的人間之愛，可以這麼豐富如此複雜，更重要的，可以這麼高貴。

另一方面，〈盛宴〉中對肉體欲念的不屑態度，對於人間精神靈魂的刻意講求，又符合了才從教會禁忌中初步解放的人的基本態度。他們發現了人的重要，可是他們畢竟還沒準備好要接受肉體的人生就是一切，除此之外別無昇華的超越原則。

經歷這些轉折，才出現了「柏拉圖式愛情」的用語。愛情

應該超越肉體，在肉體之上追求更高更恆久的喜悅與尊嚴，這種立場一方面呼應〈盛宴〉中蘇格拉底的主張，另一方面也轉型繼承了中古時代的「騎士精神」。降至後世，「柏拉圖式愛情」才再被簡化拿來形容只有精神交流卻完全沒有肉體接觸的愛情。

## 性與欲望可以使愛情更接近永恆？

到這裡，我們終於可以回到《柏拉圖式性愛》來。飯島愛的這個書名，其實是充滿了弔詭的意義張力，也充滿了潛力的。這個書名最大的張力與潛力，就在於提出一個疑問：在時代與社會地層大挪移後，在我們對於人性與欲望有了完全不一樣的理解後，有沒有可能找到一條路，穿過性與欲望的密林，我們反而才能到達恆久的、超越的整體？會不會愛的原則不再必然上升到蘇格拉底所揭示的境界，也許性的原則才更接近永恆？

大哉問。如果飯島愛真能藉她的經歷描述，回答這向度龐大的問題的話，她的書就不會只是個短暫的話題了。不過沒關係，我們也不必因書中貧乏的內容，就否定了這個饒富創意與哲學暗示的書名的重要性。飯島愛沒有能力書寫的，我們卻可以好好思索。

# 進進出出兩個世界

## ——「哈利波特」筆記之一

我們總不相信或者不希望，那麼一個我們看得見摸得著管得了的世界，就是全部。我們多麼希望在這個表面裡，藏著另外一個世界，更有趣可能也更危險更刺激的世界。

幾年前，最早接觸到哈利波特時，我記得讀《神祕的魔法石》之前，我讀了勒卡雷（John le Carré）的小說 *Single & Single*。勒卡雷在台灣的名氣也許不是那麼高，不過在英國在美國，他可是鼎鼎有名的「間諜小說大師」。

勒卡雷的作品不少，幾乎每一本都暢銷，也幾乎每一本都賣出好萊塢的電影改編版權，改拍電影票房也夠紅夠轟動。勒卡雷更了不起的成就，在於他比一般通俗小說家更暢銷，可是正統、嚴肅的文學家、批評家卻也不敢對他嗤之以鼻。他的小說能有較高的文學評價，除了他的人生視野確實不膚淺、他的寫作技巧頗為講究之外，跟他的親身經歷也有相當關係。

## 難寫的間諜小說

「間諜小說」不是個容易寫的文類，因爲很難寫得讓人相信。「○○七」系列的小說，乾脆不追求讓人相信，擺明了就是浪漫、荒謬、不負責任的狂想，讓大家（尤其是男人）獲得快速而短暫的感官滿足，如此而已。勒卡雷的間諜小說當然不走這一路。他是牛津大學的高材生，在學校裡專攻現代語言，精通好幾國語文，畢業時拿了個全系第一名。這樣的背景不正最適合去做間諜嗎？眞的，畢業後勒卡雷在英國海外特務機關整整服務了五年。

你不能說勒卡雷不明瞭冷戰時期蘇聯和西方國家爾虞我詐的緊張關係，你也不能懷疑勒卡雷曾經深入觀察過間諜這一行的眞實你來我往狀況，你更不能隨便說勒卡雷的諜對諜細節是自己胡思亂想掰出來的。

勒卡雷的確非常喜歡寫諜報中的細節，細節才能讓我們明瞭「間諜」絕對不是個浪漫的行業。勒卡雷用眾多細節去堆砌、刻畫「間諜」，清楚地傳達了這樣的訊息：做了「間諜」，你生活裡的每個部分都會因此而徹底改變。而且是隨著你在間諜世界裡快速變化高度不穩定的不同處境，你被迫用完全不一樣的眼光看待周遭事物、改變完全不一樣的行爲反應、愛上或痛恨完全不一樣的人。

有自己的經歷作靠山，有豐富的細節作支撐，勒卡雷的小說在贏取讀者信賴上，已經先成功了一大半。更何況勒卡雷還有那麼流暢的文筆，對現代主義以降各式各樣的小說敘述奇技

《神祕的魔法石》
J. K. 羅琳／著
皇冠文化公司

淫巧運用自如。

例如在那本 *Single & Single* 開頭，他就記錄了一位銀行法律顧問混亂的意識過程，在逐步加快的敘述節奏中，傳遞緊張、慌亂的氣氛。他莫名其妙地擔心起他沒辦法滿足太太在床上的需求、莫名其妙地為了應不應該為了掩飾年齡去染髮而感到焦慮。長達十幾頁瑣碎然而動人的真實內心告白，最後卻戛然中止於一聲完全無預警的槍聲中。法律顧問被殺了。讀者嚇了一大跳，因為我們原本還以為這傢伙會是這本小說的主角、主要敘述者。可是讀者對這暴力血腥的一槍，又不會覺得那麼突兀與意外，因為我們已經隨法律顧問進入極度躁急難安的情緒裡，我們已經在等待，等待有什麼奇怪、不測的事情要發生了。

## 勒卡雷面臨的寫作危機

勒卡雷這麼厲害，不過他的小說寫作生涯倒也不是一直一帆風順、沒有危機。一九八九年柏林圍牆倒塌，接著蘇聯集團迅速土崩瓦解，勒卡雷面臨了空前的危機。很多人都關心、很多人都擔心，沒有了美俄對峙、沒有了冷戰結構，勒卡雷還怎麼繼續寫他的「間諜小說」呢？不是說不能再有間諜，而是如果寫英國跟印度搞間諜戰的話，人家會有興趣嗎？勒卡雷間諜

小說原本那種關乎世界和平的「迫切而明顯」的危機感，不就沒有著落了嗎？當主角的任務不再是要拯救整個世界，小說的精采程度要損失多少？

正是這樣的危機、這樣的世界勢力挪移背景，彰顯出 Single & Single 這本小說的特殊意義。Single & Single 沒有了冷戰、沒有了俄共、沒有了KGB，然而Single & Single 卻還是一本帶有清楚勒卡雷風格，好看的小說。

Single & Single 的故事，簡略地說，講的是蘇聯瓦解後，在俄國出現的最大犯罪集團。這個集團策畫一項超級大買賣，要將在俄國捐得到、買得到的人血賣到血荒嚴重、人命又比較值錢的美國去。而在進行這項利益雄厚的交易的同時，俄國人要順便建立門道與管道，來走私偷渡毒品。

故事梗概不是那麼重要，重要的是勒卡雷一樣用一般人想像不到、一般人掌握不來的細節，寫活了那個恐怖的犯罪集團，以及他們縝密細膩的構思與執行。換句話說，勒卡雷用他的筆帶我們親臨深入另一個世界，一個和我們的世界平行存在，我們卻無法觀察、無法理解的世界。

Single & Single 這本小說的成功，還刺激了我們從一個新的角度來檢視勒卡雷以往的眾多舊作。為什麼沒有了「間諜」這個最主要的元素，我們卻還是一眼就能認出、立即就能感受到，這就是勒卡雷的作品？為什麼明明沒有了「間諜」這個最主要的元素，我們還是能從這本小說裡讀到、享受到過去勒卡雷「間諜小說」所提供的興味與快感呢？

難道說，「間諜」其實沒有那麼重要？

答案應該是，「間諜」還是蠻重要的，不過更重要的是，勒卡雷塑造一種兩個世界交錯的結構，讓兩個世界互相指涉、互相解釋的本事。

## 正常的與異常的世界

我這裡講的兩個世界，不是西方與蘇聯，而是正常人的世界與間諜的世界。我們赫然發現，過去大家那麼喜歡勒卡雷的小說，正因為他把間諜的世界寫得和我們的世界那麼不同、卻又那麼接近。勒卡雷的間諜小說和其他間諜小說最大的不同，就在於他一直把間諜拉住留在我們的世界裡，他不讓他們的奇言怪行天馬行空飛到與一般人沒有交涉、沒有關係的異域裡去。間諜還是跟我們都不一樣，可是他們隨時就在我們身邊。

讀勒卡雷小說讓你相信間諜，也讓你懷疑間諜就在你眼前活動。間諜的舉措本身一點也不怪，他們不會像詹姆斯‧龐德般特別瀟灑，還故意開特別騷包的車。他們的行為只有在複雜的間諜世界網絡裡才有作用，也才有意義。對完全不懂間諜世界的人，毀滅世界的決定可以就在你眼前發生，你卻一無所知。這是勒卡雷小說傳遞的深層暗示，只有少數被間諜世界啟蒙的人，才能進入網絡裡，才能看到聽到間諜。

他用同樣的手法寫犯罪的世界，只是拿賣血販毒的人（有俄國惡棍，別忘了也有美國的接應共犯）取代了間諜，難怪還是能創造出一貫的效果。

有兩種勒卡雷慣用的手法值得進一步分析。一種是讓正常

世界與間諜世界不斷更動，故事不會在正常世界與間諜世界中間畫出一條截然明確的界線。永遠有些人從這個世界誤打誤撞進了那個世界、有些人痛苦掙扎想從那個世界闖回這個世界；這個世界的人愛上那個世界的人、那個世界的人遺忘不了這個世界的人；這個世界的事不小心干擾了那個世界的運作、那個世界的勢力浸淹出來傷害了這個世界。

無知與誤解在兩個世界裡牽動了故事的進行。兩個世界無法隔絕，可是卻又各自依照不同的邏輯在運作，於是最古典意義下的悲劇感——面對衝突的無奈——就產生了。因為沒有人能夠超脫在這兩個世界之上當絕對的仲裁者，於是無知與誤解只會不斷帶出更多的誤解與無知。

第二種重要的手法，是讓間諜世界也有詳細、瑣碎的柴米油鹽醬醋茶。間諜們不是活在一個只有訊息買賣、背叛與被背叛的純粹空間裡，他們的訊息買賣、背叛與被背叛還是包裹在食衣住行生活運行裡的。甚至他們會成為高明的間諜坐享榮華富貴、還是遭到死於非命的下場，恐怕也都取決於他們在現實生活細節上的判斷與處理。也就是說，非常奇怪的間諜世界裡，還是有平凡日常的基本活動要照顧。

## 尋找藏在正常表面下的另一個世界

靠著這兩種手法，勒卡雷可以寫精采的間諜小說，也可以轉型改寫精采的犯罪小說，因為他掌握到了我們每個人內在對於正常世界的不耐與質疑。我們總不相信或者不希望，那麼一

個我們看得見摸得著管得了的世界，就是全部。我們多麼希望
在這個表面裡，藏著另外一個世界，更有趣可能也更危險更刺
激的世界。

J.K.羅琳成功的道理，在這點上是和勒卡雷相通的。《神祕
的魔法石》好看的不是巫師、女巫、魔法這些可奇可怪的內
容，而是這些內容被編織在正常生活裡的手法。吸引我們的不
是「這些魔法真不了起！」而是「這些魔法竟然也要慢慢上課
學習，竟然也會出糗和出錯！」

我們在魔法裡進入日常生活，我們又在日常生活中闖出魔
法境界，一進一出、進進出出帶來了某種心靈雲霄飛車般的期
待、折磨、輕鬆與滿足。

# 成熟的兒童，童稚的成人
—— 「哈利波特」筆記之二

《神祕的魔法石》剛出版時，曾經有人看過在火車上，有中年男人高高舉著《泰晤士報》，裡面卻偷藏著《神祕的魔法石》。「哈利波特」出到第二集以後，最大的改變是，在火車上不必再用報紙遮遮掩掩了。看得愛不釋手，甚至會和小孩搶書的大人太多了，你看我看他也看，自然沒有人再覺得大人看「哈利波特」有啥不對勁的了。這是J.K.羅琳真正讓人佩服的本事。

我總覺得台灣的「哈利波特熱」，來得太容易，容易得有些詭異，也容易得有些單調。

我們的「哈利波特熱」，因為出現在國際流行之後，所以展現出一種跟流行趕流行的風格。台灣社會對「哈利波特」的接受沒有掙扎、沒有起伏的戲劇過程；台灣的「哈利波特熱」就是賣書賣書賣書，既沒有眾多相關產品跟在旁邊發燒，也對環繞著書籍的種種話題種種事件，興趣不高。

這實在是蠻特別蠻奇怪的一件事。甚至「哈利波特」的作者J.K.羅琳都沒有來過台灣讓大家看看她的廬山真面目、幫大家

簽簽名；更誇張的是，J.K.羅琳這個人以及「哈利波特」之所以能夠流傳成大熱門的曲折故事，在台灣似乎也沒有受到太多的重視。

這不只誇張，而且可惜。J.K.羅琳與她的「哈利波特」的經歷，其戲劇性其刺激性，並不亞於哈利波特在魔法世界裡的冒險。

## 睡在碗櫥裡的書

例如，「哈利波特」系列第一集《神祕的魔法石》的遭遇，像透了羅琳自己創造的角色。羅琳在一九九四年年初寫完了這本書，那時候她窮到連影印書稿都是項沉重的經濟負擔，所以她只能用手上又舊又破的打字機，一個字母一個字母打了兩分清樣稿，寄給從圖書館的資料裡查來的經紀人。算她幸運，找到了一位Little先生，願意幫她四處推銷這本書。不過第一次見面商談時，Little先生有言在先：這樣一本童書，了不起只能幫作者進帳兩千到四千英鎊左右。羅琳別無選擇，還好她也沒有奢望。

這本稿子被許多出版社拒絕，拒絕的主要理由是它既不像童書、又不像成人讀物。當童書的話，太深太難囉唆步調太慢，可是拿給成人看又太不切實際，充滿了荒誕的幻想與怪異的情節。

好不容易有一家出版社願意接受這本書，他們開出的預付版稅價碼，正好是經紀人預期的低標——兩千英鎊。

這像不像一個身懷魔法潛力的少年，卻在一個不識貨的世界裡，被看作拙劣、無用的傢伙，勉強給他一個樓梯底下的碗櫥住住呢？

還好這書和哈利波特一樣，不會老住在碗櫥裡。書稿進入出版編輯流程之後，神奇的事發生了。就像哈利波特抓起掃帚立刻就能表演出在空中飛行、翻轉、抓物的高難度動作，發揮他自己都不明白的魔法一樣，看過這本書的編輯們開始口耳相傳，以不可思議的口氣說：「這一定不會是本平常的書！」

## 童書版權交易的天價

一九九七年，《神祕的魔法石》還在漫長的編輯作業中，尚未得見天日。然而暗底流傳看到草稿的人已經多到當要決定這本書的美國版權時，有意標購者必須參加公開拍賣。

經紀人打電話告訴羅琳，遠在義大利波隆納的書展上，將要進行一場拍賣，羅琳完全搞不清楚，還以為他講的是蘇富比之類的拍賣會。在那場拍賣會上，《神祕的魔法石》就已經大放魔法光彩，不再是原先兩千英鎊的身價了，拍賣金額一下子就跳到五萬美金，再跳三跳跳到七萬美金。

這已經是天價了。然而最後成交的價錢是比這個更高，高到前所未聞、創下童書預付版稅空前紀錄的十萬美金。

羅琳聽到這個價錢，差點暈倒過去。以十萬美元買下版權的出版商稍後打電話給羅琳，馬上就聽出她的情緒，所以他跟羅琳講的第一句話竟然是：「別怕。」羅琳回答：「謝謝，不

過我真的很怕。」

其實更應該怕的是出版商。不只是花這樣大錢砸在一個從來沒出過書、沒受過市場考驗的作者身上,而且是公開、在眾目睽睽下這樣砸錢。這個數字保證了一定會被大肆報導,換句話說,所有的同行全都眼睜睜地在看在偷笑,哈,看你這回怎麼死!

羅琳會怕,一方面她對自己的作品沒那麼高的信心,她擔心這下子這書得賣得多好才對得起人家;另一方面是這一大筆財產和她原本過的生活實在差距太大了,大到讓她害怕地問:這會是真實的嗎?

## 賺到幫女兒買新鞋的錢!

在寫作《神祕的魔法石》過程中,羅琳是個失業的單親媽媽。更準確一點說,因為她所在的愛丁堡特殊的社會福利制度,才使得她變成一個作家。她在葡萄牙結婚、生小孩、離婚,然後帶著小孩回到英國,投靠住在愛丁堡的妹妹。她本來想找個工作,最有可能是去教小學生,然而一查當地社會福利辦法,她如果有工作,就不能申請小孩托育補助。在這種狀況下,她只好放棄工作,光靠失業救濟金過日子,自己帶小孩。

那個時候領失業救濟金,是個很難堪的處境。在保守黨執政的最高峰,首相梅傑公開指責領社會福利的人太懶惰太不負責任,讓羅琳背負了巨大的心理壓力。不過只有在不工作的情況下,她才下定決心把好幾年前就構思就開始片片斷斷寫的哈

利波特書稿完成。

　　那些日子裡，羅琳每天把小女兒放在推車裡推出去，在大街小巷裡繞行散步，一直到嬰兒睡著，然後她就去咖啡館裡點一杯濃縮咖啡趁小孩睡覺的時間寫稿。在那樣的日子裡，她手上只有微薄得不能再微薄的失業救濟金。

　　書稿竟然能賣出那麼多錢，羅琳的一個直截反應竟然是：這下不必擔心女兒舊鞋穿不下時，還張羅不到買新鞋的錢了。

　　書稿賣到讓作者會怕、出版商更怕的高價，好處之一是，高價本身成了宣傳重點，引起大家對這本書的好奇；好處之二是，買下版權的出版社必定會使出渾身解數，想盡一切辦法努力賣這本書的。

　　其實出版社之所以敢這樣豪賭，是他們看到了羅琳書裡一個非常難得的特色，一個他們在行銷上可以著力的地方。這個特色剛好就是早先其他不識貨的出版商拒絕羅琳的理由。這本書既是童書、又不像童書，它的適當讀者群是龐大的「成熟的兒童與童稚的成人」。這個市場充滿潛力。

## 四小時誤點中構思出的細節

　　羅琳的書能夠具有這樣的潛力，我們得回頭從這本書的緣起來解釋。

　　據羅琳自己的說法，哈利波特的構想最早浮現，是她二十八歲那年，在從曼徹斯特回倫敦的通勤火車上。那天火車突然發生了嚴重的機件故障問題，需要延遲四小時才能回到倫敦。

那段空白時間裡，羅琳盯著車窗外的牛隻發呆，第一次有了寫哈利波特的念頭。哈利波特這個角色，他有魔法卻被凡人養大的身世、他的魔法學校，這一連串的小說元素爭先恐後出現。她急著想找紙和筆記錄下來，卻好死不死身上沒有。火車上哪裡也不能去、什麼別的事也不能做，羅琳只好一直想像哈利波特，藉此記得自己的靈感。她一想想了四小時，非常專心沒有別的東西別的人別的事物讓她分心分神的四個小時，就這樣，哈利波特在她腦中長住下來。

兩年內，她寫了許多有關哈利波特的片段。她不是以寫一個小說的線性態度開始寫的，而是一有空就把自己擺進哈利波特的那個世界裡，想一個古怪的名字、發明一種好玩的魔法或描繪一堂魔法學校的課程。她在寫這些片段、零碎記錄時，其實不了解、也沒去深思這些片段在小說裡要放在哪裡要怎麼用，她的心態比較像是個用積木一塊塊搭起奇異城堡的小孩。

因為先有這樣的過程，等她下定決心開始寫小說時，所有細節都在了。難怪她不可能用一般童書的那種簡化語調來講哈利波特的故事，難怪她的小說囉唆、複雜。

可是也因為這樣，她的小說寫的雖然是不存在的魔法世界，卻如此真實。不管是兒童或成人，都會被這分真實所吸引，真實讓人投入、真實讓人認同。

《神祕的魔法石》剛出版時，曾經有人看過在火車上（也許就是曼徹斯特到倫敦的通勤火車），有中年男人高高舉著《泰晤士報》，裡面卻偷藏著《神祕的魔法石》。這人幹嘛這樣？因為他明知在大庭廣眾間看這種「囡仔書」很丟臉，可是又實在入

迷到不忍放下，於是只好用這種方法掩飾一下、自欺欺人一下。

「哈利波特」出到第二集以後，最大的改變是，在火車上不必再用《泰晤士報》遮遮掩掩了。看得愛不釋手，甚至會和小孩搶書的大人太多了，你看我看他也看，自然沒有人再覺得大人看「哈利波特」有啥不對勁的了。

這是J.K.羅琳眞正讓人佩服的本事。

# 幽黯與光明的易位

—— 「哈利波特」筆記之三

不管是黑暗或光明，羅琳寫來都不勉強，更令人歡服的是，她的黑暗與光明隨時隨處都在交雜易位，讓讀者捉摸不定，於是總的效果就是：西方社會最熟悉的黑暗元素與光明元素完全錯亂了，錯亂出一幅整體上極度新鮮而陌生的故事圖像。

一本書會暢銷，尤其到像「哈利波特」那樣暢銷，一定有很多偶然、幸運的成分。不過偶然、幸運或許可以讓「哈利波特」得到注意，如果其內在內容沒有更深層、更明確的「定著原因」的話，這樣一套書不可能持續發燒放電。

「定著原因」之所以稱為「定著」，指的是它在其讀者所生活所熟悉的文化傳統或社會意識結構中，找到了一個特別的定位。這個定位不能太邊緣、太浮動，可是又必須是有相當大可以活動可以發展的空間。

## 大暢銷書的「定著原因」

換句話說，要暢銷又要有影響力的書，必須在已經很密實很擁擠的文化、社會意識主流、中堅結構中，找到一塊別人沒有發現或別人沒有能力去創造開發的大空間。在非主流邊緣地帶通常會有比較寬敞的空間，可以讓你翻觔斗，不過代價是你翻了一千次觔斗也沒人理你。如果擠到中央主流區域，要吸引注意當然容易多了，可是相對的，在人群中你連想要揮揮手都有問題，還能變什麼把戲呢？

我們追究哈利波特的「定著原因」，第一個值得注意的，是J.K.羅琳把兩樣在西方文化傳統中根深柢固，過去水火不容的東西，巧妙地結合在一起。這兩樣東西是巫術（witchcraft）和社群（community）。西方社會對巫術的著迷，源遠流長。在西方曾經起起落落的巫術種類，更是族繁不及備載。然而不管在希臘文化所創建的哲學理性原則中，或基督教的一神信仰裡，巫術都被視為是恐怖、具有敵意的威脅。

不管是哲學理性或基督信仰，對於世界最根本、不容挑戰的看法是，世界是有固定秩序的，人的智慧可以理解、掌握秩序，卻絕對不能加以改變。希臘人相信「自然」，後來的人則相信「神的意志」。而不管是自然的力量或神的意志，都是高於人的主觀願望與能力的，兩者不在同一個層次上，而且絕對不會有所混淆。

希臘哲學鼓勵人盡量了解自然、分析自然；基督教則要求信徒崇敬神的意志。希臘神話創造了奧林匹克山上的神的領

域，在那個領域裡人是沒有任何地位的；《聖經》則明確記載上帝混亂了人類的語言，不讓他們蓋可以屆及天空的巴別塔，也就是永遠隔絕了人與神的交流交往。

## 巫術的破壞本質

然而巫術的本質，就是改變既存秩序。巫術的根本概念，就是破壞我們所見的正常事物秩序，用主觀的意志力量干預、改變事物的內在素質。

巫術，不管是哪一種巫術，從薩滿教（Shamanism）到哈利波特的魔法學校，最核心的象徵就是變形。把人變成豬、把花變成房子、把石頭變成小仙女。變形破壞了自然、變形僭奪了應該只屬於神與上帝的特權。

以變形來干犯神與上帝權力的巫術，在現實上還有一種更大的破壞，那就是它會破壞一切建立在固定秩序之上的基本生活預期，它會使得正常生活賴以持續的人群互信無法維繫。

雖然幾乎每個巫術傳統裡，包括哈利波特的魔法學校，都會將魔法分成黑白兩種，而「黑魔法」因為是會害人的，所以最可怕最可惡；不過從一般善良風俗、正常生活的要求上來看，所有的巫術，不管黑白，都是可怕又可惡的。可怕是其中牽涉到了一般世間權力管不到的神奇祕密，可惡的是它打擾混亂了既成的社會安排。

所以越是擁有世間正常權力的人，就越討厭巫術，以及宣稱自己擁有巫術魔法能力的人；所以在歷史上，「獵巫」變成

一種極為常見極為普遍的活動，甚至儀式化而為人間權力鬥爭的一種固定手段。

聖女貞德就是被冠以「女巫」的罪名燒死在十字架上的。燒死她的同時，也否定了她所做的一切有任何正面的價值。一旦被視為巫術，不管最高的榮耀、最大的成就，都會立刻轉為該受唾棄，乃至詛咒的對象。

在這樣的環境、這樣的氣氛底下，我們能夠理解巫術、巫師在西方文化裡受到的對待。巫術與巫師是陰暗的、是難見天日的，他們的傳說在社會的最底層暗暗流盪，一旦浮現，就會受到最嚴厲最無情的打壓。

## 打破巫術與正常秩序的對立

正因為巫術與巫師被壓抑在意識的最底層，它們反而提供了最大的想像空間。「畫鬼容易畫虎難」，反正沒人見過鬼怎麼畫都可以，也就可以畫出最多最不一樣的鬼。巫術、巫師不得公開，於是就衍生出最多關於巫術與巫師的傳說，即使在「科學時代」，依然構成大多數西方人成長中不可或缺的一部分，某種不可或缺的幽黯經驗。

在大量的巫術、巫師傳說故事中，巫術巫師和西方社會肯定的任何價值，都是矛盾衝突的。巫術與巫師敵視，甚至攻擊所有主流社會秩序賴以運作的美德。

巫師怎麼會有家庭？巫師怎麼會有彼此溝通互相扶持的社群？巫師怎麼會有正常社會意義下的學校教育？

「哈利波特」完全打破了這種對立的局面，羅琳寫的故事裡，一方面大量援引了西方人熟悉的巫術成分，從變形術到煉金術到與幽靈的交往互動到騎掃帚在天空上任意飛來飛去，然而另一方面卻將這些元素運用在日常生活最正面的價值組構裡。

羅琳讓大家看到巫師們的家庭、看到巫師們的學校，而掃帚最大的功能竟然是一種超級刺激好玩的球類運動的工具。最黑暗的東西被鑲嵌在最光明的價值裡。

不管是黑暗或光明，羅琳寫來都不勉強，更令人歎服的是，她的黑暗與光明隨時隨處都在交雜易位，讓讀者捉摸不定，於是總的效果就是：西方社會最熟悉的黑暗元素與光明元素完全錯亂了，錯亂出一幅整體上極度新鮮而陌生的故事圖像。

熟悉的黑暗元素與光明元素使「哈利波特」能緊緊抓住主流，而新鮮與陌生的故事圖像則提供了自由翻觔斗的巨大空間。

# 不可兒戲的童話
—— 「哈利波特」筆記之四

不管是用輕盈不在乎的態度，來處理過去大家以為神聖嚴肅的東西，或是以認真堅持的態度，來對待習慣上以為不那麼值得注意的事，都有可能會觸及這樣的時代脈動，因而創造出意外、龐大的商機來。

　　如果你現在去書店，在專門擺放「哈利波特」的角落，除了可以找到四本中文翻譯、四本英文原文小說、J.K.羅琳的未授權傳記（中英文都有）之外，你還會看到兩本很薄很薄的小冊子。一本叫作《神奇怪獸以及到哪裡找到牠們》，另一本叫《穿越歷史的魁地奇》。前面一本還貼了一張小方紙，表示那是哈利波特所擁有的；另外一本則有霍格華茲學校的「官方」戳記！

## 霍格華滋學校用的課本

　　這兩本就是哈利波特在學校裡用的課本。它們真的長得很像課本、內容也很像課本，說老實話，讀起來也和課本一樣令

《穿越歷史的魁地奇》
J.K.羅琳／著
皇冠文化公司

人打呵欠。

《怪獸》課本的作者是Kennilworthy Whisp，《魁地奇》課本的作者是Newt Scamander，不過在現實世界裡，這兩個人當然都不存在，藏在這兩個名字背後的還是「哈利波特」的作者J.K.羅琳。

雖然這兩本書讀起來絕對不像「哈利波特」那麼有趣，但基於三個理由，我還是會建議你去買來翻翻。第一個理由是這兩本書是完全非營利的。扣除掉成本（所以書店還是會賺到錢）之後，所得全數進入一個由羅琳與出版社共同設立的基金裡，這些錢將特定用來幫助貧窮國家不幸的兒童們。這個基金的運作是公開透明的，你只要上網到 http://www.comicrelief. com/other/harry.shtml 就可以查到完整的資料。

第二個理由是，你可以從這兩本書裡看到、感受到，「哈利波特」未來繼續發展成為一個更龐大產業的商機模式。出版了第四冊小說後，羅琳和出版商顯然不急著再推第五冊，回頭翻找前面已經風靡全球多少讀者的內容，看到裡面提到了多少稀奇古怪的東西，熱心的大大小小讀者，當然會有興趣找到、買到哈利波特魔法世界裡的各種物件！課本只是其中一項，還有更多的潛力藏在羅琳的字裡行間。

第三個理由是，翻翻讀讀這兩本「課本」，會讓我們對羅琳

這個人和她的心態有更進一步的理解。我剛剛說了,這兩本「課本」其實並不是那麼有趣,它們帶了全天下所有課本都有的嚴肅、無聊氣質,儘管它們的內容如此荒誕不經。

## 羅琳是個嚴肅的作者

這提醒了我們一件事:雖然「哈利波特」的故事裡有許多快樂、生動、輕鬆、好笑的片段,不過整體上,羅琳是一個嚴肅的人、一個嚴肅的作者。

當年「哈利波特」第一集即將出版的前夕,羅琳突然接到出版社的通知,說他們要把作者的名字從原本的Joanne Rowling,改成J.K.Rowling。出版社的理由是,這樣單純從名字上,不會立刻看出作者的性別,在這本書潛在的小男生讀者群,比較容易接受。

「哈利波特」大賣,作者成了世界級的知名人士,大家都知道羅琳是個女的,我們就忘了這段故事,也忘了其實在出「哈利波特」之前,羅琳從來沒用過J.K.這個縮寫,她本來就是很女性化的Joanne。

出版社決定隱藏作者性別,除了因為這本書寫的主角是個小男生、預期會吸引同樣的小男生來閱讀,覺得天下的小男生都會強烈地排斥老女生這個因素之外,我覺得還有一個可能的影響是,出版社的專業編者就是感受到了書裡的認真、嚴肅氣氛,和Joanne這個很女性的名字不太搭調。

不是說女性就不認真、不嚴肅;不是說女性就不能認真、

不能嚴肅。而是社會的偏見成見，覺得認真、嚴肅的態度，總該是很男性的，甚至是很中年男性的。

從這裡我們演繹出「哈利波特」之所以成功，另一個很弔詭的因素，那就是羅琳用很認真、很嚴肅的態度，處理了大家覺得不能認真、不可嚴肅，只能兒戲的題材。

「哈利波特」本質上是個奇幻的魔法故事。不存在這個世界上的魔法，過去在童話裡都是用一種三言兩語帶過的方式來處理，這裡有個好可怕的巫婆，那裡有一種好厲害的魔法；這裡有一種吃下去就可以讓人家昏睡一百年的神湯，那裡還有一個半天內可以飛越太平洋的大超人。

可是，巫婆哪來這一身本事的呢？魔法到底怎樣發揮作用的呢？湯是怎麼製作出來、超人怎麼飛呢？這些過程、這些因果連鎖，童話故事裡沒有，講童話故事的人也不覺得需要提供。反正就是憑空亂想亂講的嘛，幹嘛那麼認真？這是一般人對待童話的態度。

## 在意所有的過程

羅琳的態度卻完全不同，也許因為在正式落筆寫「哈利波特」之前，她有好幾年的時間不斷在思考、在編織這個故事，於是「哈利波特」在她筆下成為必須非常認真思考、規畫才能形成的複雜體系。其他人根本不會去想一個巫師要學什麼、怎麼學才會變成巫師，他們的故事開始時，巫師就已經是巫師了。其他人就算講巫師的養成故事，也不會覺得需要交代、解

釋他們用什麼樣課本學什麼科目。

羅琳卻在意所有這些過程。巫師怎麼變成巫師的？他在什麼樣教室讀什麼樣的書，在其他童話書裡被認爲無關緊要，甚至應該予以省略的過程，在羅琳的筆下成了認眞、嚴肅鋪陳的骨幹主題。

這種回溯別人故事開始之前的準備階段、這種認眞嚴肅看重過程的態度，一方面當然與西方文學裡的「成長小說」（Bildungsroman）傳統有關係，另一方面，特別值得我們注意的，跟九〇年代的新時代風氣也有密切互動聯繫。

這裡講的新時代風氣，可以用和羅琳幾乎同時在美國大受歡迎的另一位文化明星——瑪莎·史都華（Martha Stuart），來加以說明。

瑪莎·史都華不寫小說，她寫食譜、寫各式各樣的生活說明指南，她的讀者群人數比起羅琳毫不遜色。瑪莎·史都華比羅琳還更有企業精神些，她每週六天在全國性電視網主持節目，她的廣播節目在全美有兩百多個電台聽得到，她的文字專欄也在兩百多家報紙上同步刊登，她還有兩本完全自己掌控的雜誌，她把這些熱鬧的活動整合起來，開了一家以瑪莎·史都華爲名的公司。不過千萬別誤以爲這公司是家小本經營的個人工作室。喔，絕對不是，「瑪莎·史都華」是家掛牌上市公司，一九九九年十月上市時還引起好一陣騷動。

瑪莎·史都華靠教人家怎麼生活而變成超級明星，建立起她自己的文化工業王國。她原本的職業就是幫人家做外燴的，所以對於做菜當然有一套。不止這樣，她更擁有如何擺餐桌如

何收拾殘局的專業知識。她以這些知識為起點，繼而擴張到園藝、家庭布置，到任何生活上細部、瑣碎的安排，都在她教導之列。

她的私生活和羅琳一樣，帶著點傳奇色彩。她是在成名之後才發現丈夫有了外遇，終至離婚。這整個過程，她如何面對如何處理，都透過她自己的媒體攤在她的觀眾聽眾讀者眼前。他們密切關心他們議論紛紛。瑪莎‧史都華自己承認她並不是個好主婦，雖然她是全美主婦生活技能的至高代表。正因為太忙於教導別人如何安排好家庭生活中的每個細節，她照顧不來自己的家。這中間有矛盾、有很反諷的部分，不過卻也更強調地凸顯出了瑪莎‧史都華是用多麼認真、嚴肅、專業的態度在對待那些別人覺得無關緊要的事物。

在這點上展現了她和羅琳最具意義的相似之處。瑪莎‧史都華把本來藏在每個人家中，只流傳在廚房內婆婆媽媽閒聊間的零碎內容，整理整合成為認真、嚴肅的知識學問。她把長期以來大家認為不值得在公共空間裡追究的過程，改造成為重要得不得了的一套價值、解釋系統，讓它們自身翻轉成了目的。換句話說，瑪莎‧史都華逼我們去看去理解美好生活故事開始之前的準備階段。

## 輕盈與沉重

瑪莎‧史都華和J.K.羅琳的成功，刺激、提醒了我們，在這樣一個新的時代，多擺脫了一些框架、又多增添了一些金錢與

時間之後，我們可以去追求的人生事務選擇大幅多元化了，過去在更有限的時間與金錢逼擠下去劃定出的「重要／不重要」標準，勢必要進行大幅的改變改造了。不管是用輕盈不在乎的態度，來處理過去大家以爲神聖嚴肅的東西，或是以認眞堅持的態度，來對待習慣上以爲不那麼值得注意的事，都有可能會觸及這樣的時代脈動，因而創造出意外、龐大的商機來。

# 享受豐富的故事
## ──如何閱讀高行健的《靈山》？

我們可以完全不管高行健這些安排，甚至可以不管書中原本排
好的順序，將每一章當一個獨立、有趣的故事讀。這樣的讀
法，也許減損了《靈山》作為一本「巨著」的地位，不過反而
更能真正欣賞到高行健作為一個優秀「說故事的人」的了不起
本事。


一


　　沒有比高行健的《靈山》更適宜拿來探討閱讀中的內在性
（interiority）與外在性（exteriority）關連的作品了。

　　正因為這是一本無從擺脫複雜、多重外在性干擾的小說。
最大的干擾當然是諾貝爾文學獎，而且不只是一座諾貝爾文學
獎，是具備特殊象徵意義的二〇〇〇年跨世紀，歷來頒給華人
作家的破天荒第一座諾貝爾文學獎。

　　在諾貝爾文學獎揭曉之前，沒有幾個人聽說過高行健，更
少有人讀過《靈山》。就算在當代中國文學小小的專業圈裡，高
行健也從來不是個重要話題，換句話說，就算在此之前讀過

《靈山》的人，也不曾在嚴肅嚴重認眞的氛圍下，對作品內在本身進行研究分析。

大家都在諾貝爾文學獎製造的特殊外在環境下，閱讀或重讀《靈山》，因而無從再還原出不受這個巨大外在影響的獨立內在閱讀理路，這是《靈山》極其特殊的命運。

二

高行健得獎，瑞典學院的重量級漢學家馬悅然的支持無疑是最關鍵的。《靈山》的手稿剛完成，馬悅然甚至還沒有讀完，就決定要將此書翻譯爲瑞典文。因爲閱讀手寫原稿比較吃力，馬悅然特別轉託他所熟識的馬森教授，安排《靈山》在台灣出版，以便取得打印稿來進行翻譯工作。這段出版過程，足以說明馬悅然與《靈山》間的「親密關係」。

另外一件許多人知道的事：同樣在馬悅然的大力推薦支持下，沈從文本來有機會成爲第一位獲得諾貝爾文學獎的中國作家。預定一九八八年十月會宣布沈從文得獎，然而多麼不巧多麼不幸地，該年五月沈從文過世。諾貝爾獎依例只能頒給健在的人，沈從文只因少活了幾個月，失去獲得殊榮的資格。這件事讓馬悅然深深痛心、遺憾與長時耿耿於懷。

將這兩件事放在一起比對理解，我們有理由相信：頒獎給高行健，有一部分理由是要透過高行健向已逝的沈從文致敬，馬悅然絕對不會看不出來《靈山》當中描寫西南邊境社會文化的段落，和沈從文作品的相似；馬悅然也不可能漏掉靜靜旁觀

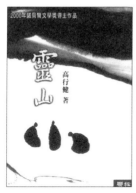

《靈山》
高行健／著
聯經出版公司

記錄異風奇俗時的高行健，他那種既冷淡又熱情的奇特矛盾態度，明明白白與沈從文在精神上一脈相承。

## 三

將高行健和沈從文比對併讀，可以讓我們換一個角度來看《靈山》的結構。

沈從文雖然也寫過像《長河》這樣的長篇小說，對當年的「新生活運動」極盡諷刺之能事，然而提起他的文學成就，任何一位有經驗的讀者都不會把《長河》誤認為傑作、代表作。

沈從文真正的功力在中短篇小說，而且他和同代（受「五四」影響而崛起於三〇年代）的其他小說家相比，最大的特色就在於他沒有那麼強烈的教化。從魯迅到茅盾、巴金，都將小說看得很重要，因為小說可以「走後門」影響人心、改變社會。所以他們都不免會把自己對社會的許多期許（不管是正面的呼籲或隱晦的譴責）放進小說裡，成為與小說中情節故事並行發展，甚至僭越了情節故事位置的另一條主線。

沈從文卻是個講故事，而且只愛講故事的小說家。他雖然也感受到時代的壓力，不得不去寫其實並不拿手的嘲諷譴責長篇小說、不得不偶爾給他的短篇小說一點與現實間的指涉，然而他小說的真正迷人處，正在於強烈的傳奇故事性。每一個故

事就是寫一段扎扎實實的個案生活經驗，不是什麼什麼模式的縮影，也不是什麼什麼意念的象徵。

順著沈從文作品給予的提示，我們也許可以這樣來讀《靈山》：拆掉《靈山》冠冕堂皇的長篇小說架構、忽略為了撐持起這個架構而穿插的種種哲學上浮光掠影的追求，還給書中眾多故事其原始本來面貌。

## 靈山的追尋其實只是藉口

這樣的讀法，也有作品內部的線索可供佐證。《靈山》整部小說以出發尋找一座虛無縹緲的「靈山」始，而以「靈山」終究無法尋得終。「靈山」永遠在另一岸。你到對岸找它，它就成了此岸的風景。真理無法由尋覓而掌握取得，我們對「靈山」所代表的真理永遠只能「不懂裝懂」，當我們自認「懂」了，我們也就陷入另一層「不懂」的執迷裡。

如此一番道理，其思想遠源當然是高行健熟悉、鍾愛的禪宗。不過既然是一趟「找不到」的旅程，沒有到達目的地的漫遊，我們就不能將旅途中所思所見所記錄的一切，都解釋為「天路歷程」般的層層進展。換句話說，這些過程，在目的消解的瞬間，就從表面的結構裡游離開來了。

講得更明白，其實靈山的追求，只是一個藉口、一個幌子。高行健真正給我們、他真正興味盎然在做的，是書寫一個又一個，光怪陸離充滿傳奇情調、彼此並不怎麼連貫相關的故事。這些故事大可以脫離原來把它鎖在一起的長篇形式，以短

篇面貌獨立存在。

如果用這樣的讀法，當然進一步要問的是：高行健為什麼需要去找那個藉口、搭那個幌子？答案恐怕是：直接描述經驗的「故事」在高行健所屬的文學傳統裡失去了合法性。

班雅明（Walter Benjamin）在他的名文〈說故事的人〉裡闡述過這個問題。現代小說在現代主義洗禮下，愈來愈遠離現實經驗，也就愈來愈遠離「故事」。不過除了現代小說上的性質外，我們還不能忽略中國大陸特殊的文化氣氛。幾十年的共產統治，將中國社會徹底政治化，同時也將中國社會徹底「陰謀化」。沒有任何事不牽涉到權力的爭奪，也沒有任何事背後沒藏著某種算計與陰謀。在這樣彼此不信任的集體心理架構下，詮釋、猜測快速且大量膨脹，淹蓋了經驗、事實本身。

## 自言自語講著有趣的故事

在這樣的社會裡，沒有單純的故事存在的空間。講任何故事，一定引來對故事的象徵解讀，以及對說故事的人的動機的揣測。在那個社會裡，人們無法想像單純的故事，以及單純想講故事的動機。

順著這個脈絡看下來，我們可以說，高行健選擇的「自言自語」敘述法，以及他慣用的第二人稱（「你」）的位置，背後有著一分政治無意識（political unconsciousness）。他不願也不想把故事講給別人聽，因為別人會對故事有太多他無法控制的解讀與利用，所以他寧可講給自己聽，在自言自語的形式裡得到

某種安全安慰。

這種安全感當然不是眞實的，因爲他的自言自語畢竟還是暴白在讀者面前。那是因爲他想講故事的衝動太強烈了，所以他非講不可，然而無意識裡的不安與恐懼，迫他一邊講一邊選擇了隱晦、模糊焦點的策略。

包括他的「沒有主義」，也是想要阻卻人家將這些故事歸類爲一項策略。「沒有主義」一言以蔽之就是：你們用什麼方法講我的小說有什麼立場、有什麼目的、有什麼企圖，我統統否認，而且我可以統統不接受。這是一個在過度詮釋的社會裡成長的人對詮釋的一種極端反動。

剝解開了藉口、幌子、策略，那麼《靈山》到底是什麼？在我看來，《靈山》是一本豐富、有趣的短篇故事集。《靈山》沒有想像中那麼複雜。你、我、他的人稱更換、投射，高行健用得很機械、很保守。全書除了一、兩處例外，「我」和「你」是隔章出現的，規律得很。「我」是一個規矩、拘謹的旅人；「你」則可以浪漫、放蕩。「我」說的是自己的經驗自己的故事；「你」則不斷轉述聽來的、讀來的、杜撰的故事。就這麼簡單、清楚的區分。

我們可以完全不管高行健這些安排，甚至可以不管書中原本排好的順序，將每一章當一個獨立、有趣的故事讀。這樣的讀法，也許減損了《靈山》作爲一本「巨著」的地位，不過反而更能眞正欣賞到高行健作爲一個優秀「說故事的人」的了不起本事。

## 高行健的兩項真本事

　　高行健因為兩項本事，賺到了諾貝爾文學獎。一是他能夠講非常特別、生動、古怪、瑣碎的故事。二是他能夠編造出一套炫人耳目的大藉口、大幌子，讓人家誤以為這些故事連貫起來，應該是在訴說一套大哲學、一層了不起的深邃思想。

　　有人被他的藉口、幌子迷惑了，把《靈山》當哲學來讀；有人因為看穿那裡面根本沒有大哲學與深邃思想，因而對《靈山》嗤之以鼻，這兩種態度其實都錯失了閱讀《靈山》真正的樂趣，也錯失了欣賞高行健本色本事的機會。

# 由冷門變大熱門的高行健

高行健的作品，不管是戲劇或小說，都善於援引中國小傳統的
異質成分，來作為創新的素材。這使得他的作品，尤其是長篇
小說《靈山》，達到了一種境界，那就是看來如此中國、卻又如
此異國；看來如此熟悉，同時卻又不斷在追求陌生。

消息傳來，高行健成為以華文寫作的作家中，第一個榮獲
諾貝爾文學獎的，距離以普遍「世界文學」為獎勵對象的諾貝
爾文學獎開始頒發，已經超過一個世紀了，在高行健之前，有
九十六位諾貝爾文學獎得主。

高行健得獎，即使在專業文學圈裡，都讓人覺得驚訝。一
者驚訝華文世界終獲青睞，二者驚訝選上的是高行健這樣冷門
的作者。

## 在中國看不到的中國作家

高行健冷門，因為他的作品在中國大陸幾乎完全沒有流
通。他對中共政權的反對態度，再清楚不過。雖然他不曾涉入

任何政治性活動，可是他先前有劇作直接觸到「六四」的敏感神經，最近又有小說刺探威權的根源性悲劇。

為《一個人的聖經》作序的法國漢學家杜特萊這樣說：「這部小說竟然是對中國的極權制度一番無情的揭露。作者認為：其暴力與犬儒主義同納粹主義、史達林主義、法西斯主義及其後繼相比，毫不遜色。」

和為數龐大的「文革書馬」相比較，《一個人的聖經》最凸出的視野，就是完全不接受把「文革」視為一個逝去時代的反省。在他龐大複雜的敘述裡製造出來的效果讓讀者相信，悲劇是連續的、切不斷的，並不因為文革的結束，甚至也不因為中國的改革開放就有所改變。於是「逃亡」、「流離」不再是策略不再是無奈的妥協，而成了宿命的、本質的、形上的必然。

這種徹底的悲劇態度，不只是中共官方沒有胃量可以容納，也和中國社會普遍的民族主義情緒格格不入，甚至也因此而不易被願意擁抱蘇童、王安憶，也願意勉強忍耐莫言的台港文學界接受。

不過在驚訝之餘，仔細想想，倒也沒有太多人對高行健得獎感到太過意外。不是故意要擺弄「事後先見之明」，而是高行健其人其作確實有和諾貝爾文學獎的精神親近的脈絡可循。

## 諾貝爾獎的政治嗅覺

脈絡一是二十世紀最後二十年最醒目的現象，正是中國步步成為國際社會的一分子。由隔絕、封閉到扭扭捏捏欲拒還

迎，到最近幾年的積極參與。中國在世界社區裡所展現的活力，已經是不容忽視更無法否認的。在對於世界社區態勢反映上，諾貝爾獎向來和奧運會有著同等的敏銳政治嗅覺，缺少了這種持續一致的政治嗅覺的話，諾貝爾獎和奧運都不可能長期在國際間維持高度尊崇地位，更不可能受到如此普遍的重視。

二○○○年奧運主辦權，差一點就落在北京手裡。捨北京就雪梨，是換了一個角度肯定所謂「太平洋盆地」的成立及其舉足輕重的地位。北京沒搶到奧運地主身分，卻在雪梨硬是掙到了運動第三大國的地位，這種情勢下，諾貝爾文學獎要繼續維持中國缺席的狀態，顯然越來越難。

高行健得獎可循的脈絡之二，是諾貝爾文學獎內在有著根深柢固現代主義文學價值為其基礎。表面上雖然尊重異質，向所有文化開放，然而骨子裡現代主義還是非常強調文學存在的理由，就是挑戰現實、對抗既有秩序。現代主義所追求的異質，是一種現實以外、現實之前的創新。用別人沒有試過發明過的方法來與桎梏人類創造力的現實秩序周旋，這是諾貝爾獎不曾明說卻清楚浮現的至上目標。

## 現代主義與沈從文

高行健徹頭徹尾是個現代主義者，他也是中國大陸作家中最重視最講求形式創新的。當大部分作家還在「傷痕文學」粗糙的吶喊手法中寫作的一九八一年，高行健就出版了《現代小說技巧初探》，還因此引發了一場「現代主義與現實主義」問題

的論戰。這絕對是中共建國後，西方現代主義重新在中國正面登台的第一聲。

高行健自己的作品，不管是戲劇或小說，都善於援引中國小傳統的異質成分，來作為創新的素材。這使得他的作品，尤其是長篇小說《靈山》，達到了一種非常類似前輩沈從文的境界，那就是看來如此中國、卻又如此異國；看來如此熟悉，同時卻又不斷在追求陌生。

從這點上，我們可以聯繫上高行健得獎的第三條脈絡。那就是對於中文作品在歐洲的譯介，尤其對諾貝爾獎影響最大的瑞典漢學家馬悅然，正是沈從文衷心的崇拜者。馬悅然在接受訪問時，甚至不諱言地表示：一九八八年五月沈從文逝世，他覺得受到雙重打擊，因為他確知如果沈從文還在，那年十月的諾貝爾獎得主一定就是沈從文。

所以高行健得的這個獎，應該有一部分也是代表了對沈從文遲來的補償與禮敬。剛好高行健在對待政權上的消極退縮、不合作姿態，也都和沈從文如此相似；他的《靈山》所選擇的背景，不也正是沈從文最著迷的中國西南那種原始、瘴癘、神話與生活事實一而二、二而一的奇幻世界？

不管中共如何反應，高行健的文學成就無庸置疑，他和諾貝爾文學獎一貫精神間的若合符節，也無庸置疑。

# 用陌生語言來訴說荒謬經驗
## ——讀哈金的小說

> 哈金溫吞遲疑的風格，絕對是和英語緊密連結的。正因為這種語言是經過哈金苦學苦思才設計出來的，不管從哈金或故事角色來看，這都不是自然的語言，所以這語言會格外適合於隱藏、含蓄，而不能自由自然地處理奔放、流盪的感情。而隱藏、含蓄就給了文革荒謬經驗一種表達的新形式。

中國大陸經歷了將近十年的文革浩劫，在人心上產生一種特別的壓力，那就是：如何記錄這些從道理上看荒謬絕倫，然而卻又是真真確確發生過的事？如何解釋為什麼會發生這樣的事？

## 「浩劫書寫」的難題

從一個角度上看，文革浩劫與二十世紀另一椿大浩劫——德國納粹屠殺猶太人，有非常類似的地方。浩劫都不只牽涉到少數的幾個人，而是整個社會的積極參與；浩劫牽涉到極度殘

《光天化日》
哈金／著
時報文化公司

酷血腥的手段，也牽涉到極度冷淡漠然的坐視旁觀態度。

在屠殺猶太人的奧許維茲集中營裡，納粹黨人曾經對受害的猶太人表示：就算德國打輸了戰爭，他們也不擔心屠殺猶太人的行為會傳揚出去。為什麼？不是因為他們有把握做到絕對的保密，也不是因為他們下定決心把一切涉及屠殺的人都剷除淨盡，而是因為他們所做的事太悖乎常理了。一般具有常識能力的人，根本不會相信有要殺盡一個種族的人的瘋狂計畫，根本不會相信有用毒氣室集體大量謀殺的手法，根本不會相信有像奧許維茲集中營這種地方的存在。

納粹們最終的信念是：就算德國戰敗，就算有殘餘的猶太人沒有被殺光，就算進過集中營又沒有死掉的猶太人，有機會向外在世界宣說他們的遭遇，也沒有人會相信的。那種浩劫的程度超出了正常生活的忍受範圍之外，其內在含藏的荒謬性、悖理性，決定了這種事情不應該發生過。

但不應該發生的事卻發生了。猶太人大浩劫經驗的產物，就是在戰後出現了強大的「浩劫敘述」。「浩劫敘述」對抗的，正就是納粹黨人的邪惡遺忘理論，書寫「浩劫敘述」的人，必須在非人荒唐的屠殺經驗尋找出其人性合理的部分，只有這樣，才能讓閱讀的人感覺到這浩劫中所發生的事，跟他們熟悉的生活肌理產生關係，也才能讓他們接受，那六百萬條生命的

確存在過，又的確消失了。

　　「浩劫敘述」一個不可能卻又不得不擔負的任務，就是將非人性的歷史事件人性化，同時在非人性的歷史事件中改造、修正我們對人性的認識與定義。

　　文革之後的中國社會，也面臨了這種不能不述說的壓力。曾經出現過的殘酷血腥、曾經被折磨被斷傷的親人生命，這些經驗給了社會集體的嚴重瘀傷，只有靠述說來發洩「放血」，否則活著的人也會活不下去的。

## 用人性語言訴說非人性記憶

　　文革之後的中國社會，也同樣面臨了如何用人性的語言去述說非人性記憶的問題。那些鬥爭、那些崇拜、那些狂熱、那些冷酷，都如此極端，極端到荒謬的地步。可是我們記錄這些事情如果只是展示荒謬，那麼不是就和其他想像、虛構的寓言、故事，沒有了兩樣？這些荒謬的事和現實的關係是什麼呢？不解決這個根本關鍵問題，敘述本身就不可能發揮為現實療傷的迫切亟需功用了。

　　和猶太人的「浩劫敘述」相比，中國文革產生的「傷痕文學」，有更艱難的課題必須面對。「浩劫敘述」畢竟還有清楚受害者與加害者的分別。猶太浩劫荒謬本質的核心，正就是猶太人純粹因種族、血統的單一條件，成了被消滅的對象。他們每個人都是無辜的受難者受害者，而德國人，尤其是納粹黨人，是終極無理的加害者。

　　文革卻不是這樣。加害者與受害者活在同一個社會裡，他們之間完全沒有明確的差別界線。他們並不是不同種族血緣的人，他們也不是不同國家子民。甚至連人為虛幻的階級劃分，都沒辦法成立。因為許多「階級成分」優良的人，也紛紛落馬成了被害者。連劉少奇、林彪，一個是國家主席、一個是毛澤東欽定的接班人，都被打成最大、最邪惡的敵人，又有什麼「成分」可以保障誰呢？文革中出現另外一個奇怪的情況，是隨著時間的進展變化，加害者與被害者的身分，也可以快速調換。很多熱心批鬥別人的人，到後來都成了被批鬥的對象。

　　在這種狀況下，誰有資格來記錄來述說呢？當我們甚至找不出受害者時，會願意聆聽誰的述說誰的回憶呢？相對於猶太人辛勤撰寫各式各樣的「浩劫敘述」，中國文革的難題就是：難道可以容許可以接受由加害人來寫的浩劫故事嗎？

## 誰有資格來訴說？

　　讓文革更特殊更艱難的，還有這場中國人的騷亂延續那麼久，擴散那麼廣，又滲透得那麼徹底。這就保證了幾乎沒有人可以聲稱自己不曾參與其中，除了極少數極少數運動一開始就被打到最底層的人之外，沒有人是真正清白無辜的。每個人都參與都幫忙了去迫害別人，然而又每個人都在湯湯揚起的大洪水裡被淹沒過，喪失了許多生命中寶貴的東西。

　　怎麼書寫？如何記錄？從七○年代後期開始，整個中國社會都被迫面對這龐大、困難的問題。許多方法、許多策略被嘗

試過，許多方法、許多策略流行過，也有許多方法、許多策略被取代、被推翻過。

例如最早出現的是素樸白描面對痛苦經驗的「傷痕文學」。然而「傷痕文學」直接的控訴口吻，很快就受到了質疑。質疑之一是這樣看似客觀的寫實手法，根本碰觸不到文革深層的荒謬本質。用白描是寫不出瘋狂與荒謬的，然而失去了荒謬、瘋狂，傳遞出來的訊息，就是會讓人覺得隔閡有距離。

另外一個質疑則是，「傷痕文學」這種風格太個別太瑣細，無法掌握文革的規模。文革太大太久，不可能靠一個個個案、一樁樁鬥爭的累積，來趨近其已經碰觸到非理性邊緣的恐怖規模。文革恐怖的一個來源，在那麼大的國家舉國瘋狂的事實；不能碰觸到數以億計集體狂暴的心靈，就不能算看到了文革。

別忘了還有一個反對意見。那就是「傷痕文學」的道德立場太過簡單、太過一面倒。「傷痕文學」的天眞受害者觀點，完全忽略了文革當中眞正大多數人同時具備加害人與受害人身分的事實。在「傷痕文學」盛行的時期，老作家巴金也寫了〈懷念蕭珊〉、寫了《隨想錄》，巴金作品最大的刺激、最大的意義，就是以深刻誠實的剖白，示範提醒了大家，應該要反省到自己也曾參與在加害過程中的曖昧、複雜道德面向。

於是繼「傷痕文學」而起，有了一波強大的魔幻潮流，也有以阿城爲代表的尋根寫法。在「先鋒／尋根」的對立爭議中，我們很容易忽略了這兩個派別的美學意識底層共同的關懷。先鋒式的魔幻實驗寫法，或是尋根式的清淨鄉土寫法，都

努力要擺脫「傷痕文學」那種帶有強烈傷感意味的寫實主義，試圖尋找出新的價值標尺，來呈現文革的普遍性、恐怖程度與荒謬景致。

## 哈金語言帶來的溫吞遲疑效果

也許我們可以從這個追尋書寫、記錄方式的脈絡，來看待、來評價哈金的小說。在這個脈絡下，我們就會察覺到，其實哈金作品最重要的特質，就在它是用英文寫的。英文與中國大陸、與哈金小說內容背景的差距，製造出一種過去不曾被認真思考過的風格可能性，甚至開拓出一種獨特書寫文革荒謬傷痛的策略。

在《光天化日》的中文版〈序〉中，哈金特別提到了喬依斯《都柏林人》及安德生（Sherwood Anderson）《俄亥俄州溫涅斯堡》對他的影響。喬依斯、安德生所屬的現代派短篇寫作手法，對哈金的影響，其實不只在他自己說的結構方面。他們講究「靈光乍現」的手法，追求「少就是多」的美學風格，都在哈金的作品裡留下明顯的印記。

所以哈金小說帶著一種特殊的吞吞吐吐，一種仔細謹慎的特別態度。讀哈金小說，感覺好像一個人不斷遲疑著，到底該不該、可不可以這樣來說一個故事。在他訴說的同時，他在困惑，甚至在後悔、在修正說的方向與說法。這種手法、風格，使得哈金展現了與現代主義親近的血緣關係。

哈金為什麼會有這種手法、風格？除了現代主義信念的影

響之外，更大的力量恐怕來自於他使用一個陌生語言的事實。英語在這裡帶著雙重陌生性：英語既不是哈金的母語，英語也不是故事裡角色們所使用的語言。

這說明了哈金溫吞遲疑的風格，絕對是和英語緊密連結的。正因為這種語言是經過哈金苦學苦思才設計出來的，不管從哈金或故事角色來看，這都不是自然的語言，所以這語言會格外適合於隱藏、含蓄，而不能自由自然地處理奔放、流盪的感情。而隱藏、含蓄就給了文革荒謬經驗一種表達的新形式。

問題是，當這樣的小說被翻譯回中文時，那種決定隱藏、含蓄運作的設計性語言力量就消失了。中文譯者把哈金作品譯得愈像道地中文，哈金小說反而愈沒有了特色。只讀中文的讀者，於是只能讀到被日常化了的故事的一面，而失去了透過英語中介的荒謬性陌生感的一面。

這真是件可惜的事。

# 追憶英雄年華

## ——讀李敖小說《上山‧上山‧愛》

李敖在這個時代依然受到注目，依然擁有高知名度高曝光率，是因為有越來越多人覺得他很有趣。李敖不再騷擾（disturb），李敖提供另類娛樂（entertain）。他偏激依舊，然而他的偏激引來的不再是憤怒或忌諱，而是看熱鬧的莞爾笑容。

李敖老了。雖然他外表上看起來比實際年紀小二十歲，雖然他還精力旺盛活躍得很，雖然他的言論、行為比許多比他年輕的人都更生猛，不過李敖真的老了。

李敖老了最重要的跡象在於他繼續活在一個已經逝去的時代裡，繼續用那個時代的條件來回應周遭的事件與情緒。李敖所習慣的那個時代，有一個龐大的威權，壟斷了所有的真理權力。那個時代的那個威權思考的模式，第一是我們之間如果存在差異，如果你和我不一樣，那就必定我對你錯，我絕對對你絕對錯，沒有大家各有道理、不對不錯的空間。所以那個時代的那個威權不和人家辯論，它的基本發言姿態是宣告、是斷定。只有肯定不對不錯空間存在的前提，才有辯論開展的可能

性。那個時代的那個威權思考模式的第二個特色是，凡事都有單一標準可以訂出個高下來，而且人生活動最重要的核心，就在評定、爭取這高下。大家只能你推我擠地搶在這套量尺前的高下位置，卻不能不許去質疑量尺本身的存在合理性。

## 李敖屬於一個逝去了的時代

李敖屬於那個時代。他的英雄形象、英雄地位來自於在那個時代成功地對抗、反叛了那個權威。他能夠成功，除了他的智慧、他的博學、他的狡獪之外，不能忽略的是他套襲權威模式將之翻轉過來，以其人之道反治其人的策略。他以雄辯以數量驚人的文件，持之以恆地論證權威是虛偽的權威是錯的，李敖自己絕對地對，不同意他的就絕對地錯。他以強硬的態度宣告，只有李敖是最好、最了不起的，其他不同於他反對他的，都是二流以下的。

李敖以他自己的單一標準來對抗他討厭的國民黨的單一標準。他習慣以這套單一標準來衡量一切，他擺脫不了這樣的習慣。即使在國民黨已然轉型、權威的單一標準已然崩潰的新時代裡，李敖依然用是不是反抗、是不是反對來衡量這個世界上的言論與行為的價值，渾然不覺要反對反抗、值得誓死反對反抗的那個敵人已經不存在了。

時代在變，李敖不變。於是李敖不變的姿態與言論，就在時代的推移下，被賦予了和以前完全不一樣的意義，在這個社會裡扮演起完全不一樣的角色。

《上山·上山·愛》
李敖／著
李敖出版社

### 知識分子與反對反對反對

《上山·上山·愛》書中有一段這樣的話：

> ……作為知識分子，他的形式上的條件，就是為反對而反對……任何第一流的知識分子，他在形式上的條件必須是反對形態的、批評形態的、異議形態的、你說東我就說西形態的。因為他們深刻知道：在尋求真理、維持真理的過程中，對這種一面倒表示反對、批評、異議、你東我西，更重要。……第一流的知識分子，他必須以不隨波逐流為職業、以不諂媚權貴為職業、以不與當道合作合拍子為職業。他的職業就是反對反對反對反對反對……

李敖當然自認為是「第一流的知識分子」，他想必也知道他這種「第一流知識分子」的理想，其實不是中國傳統下的產物。中國傳統下的知識分子理想，從孔子開始就設下了一個深層的矛盾，知識分子一方面不滿意現狀，另一方面卻又要設想、追求一種完美秩序。在這套完美秩序裡，既然一切都完美，也就取消了反對的空間與反對的可能。換句話說，知識分子不能只是反對，他們一邊反對一邊卻要矛盾地致力建立一個沒有反對、

不容反對的理想國度。

最明顯的例子正就是孔子。他不斷宣揚教化要收拾春秋時代的亂象，回歸到周初的封建秩序裡。他對齊景公解釋他的夢想就是「君君臣臣父父子子」，大家都按照封建理想規畫中範定的去做，自然就會天下太平。然而孔子卻忽略了一個大問題：如果真的都照周初封建安排那樣「君君臣臣」了，那孔子自己和他那一大堆弟子們哪裡有位子呢？原本封建秩序裡哪有空間讓人家可以把貴族教育教材內容，拿來「有教無類」傳授給不屬貴族出身的人呢？封建秩序裡又哪有一種角色，專靠教學生為業，靠知識與學生而可以周遊列國發揮影響力的？

孔子自己不屬於他想要實現的那個復古理想國，這是多麼矛盾多麼諷刺的事！當然我們可以替孔子設想開脫，他與弟子們也許只是過渡性的角色，他們做中介工具來召回周初理想社會，等這個夢想實現了，他們也就「各復其位」，回去做低級貴族、做農夫、做工匠，不再需要存在「儒者」這樣一股勢力了。這樣的設想，使得儒（或士或知識分子）成為過渡性的、工具性的，而且他們的任務正在追求自我的取消。這是中國知識分子最大的緊箍咒。

在中國，「為反對而反對」是可以拿來指責人的話。理直氣壯地罵人家「為反對而反對」，背後的預設是知識分子必須有建設性，必須提出正面的答案，不能只是質疑只是反對。從罵人「為反對而反對」，再下一步就產生強大的壓力要求知識分子去尋求可以帶來正面解決的權力，也就是和既有體制、現狀和解妥協，換來可以行使影響力的位子。所以中國式的知識分

子，永遠沒辦法眞正特立獨行，永遠與他們應該要批判應該要
對抗的體制又離又即、糾纏不清。

## 攻擊攻擊再攻擊的牛虻

　　在過去的那個時代裡，李敖了不起的地位，就在他棄絕了
這套中國知識分子的兩難掙扎，他就是要「爲反對而反對」，他
就是不給正面答案，他就是不上當不去「實踐理想」，他只攻擊
攻擊再攻擊。

　　李敖認知中的「第一流知識分子」使命，就是一再騷擾這
個社會。這種立場最接近希臘蘇格拉底的「牛虻」（gadfly）說
法。「牛虻」無所事事飛來飛去，唯一發揮的作用就是讓人不
安。有些人受不了「牛虻」，恨不得除之而後快，沒有人喜歡牛
虻，可是一個群體一個社會卻不能缺少「牛虻」。

　　因爲群體、社會容易發展出自我催眠自我欺瞞的機制，一
個安穩、大家都可以睡得很好的群體、社會，幾乎無可避免是
盲目的。「牛虻」讓大家不安，也就是逼大家睜開眼睛來看待
現實。

　　然而李敖目前的困境，就在他依然在攻擊依然在批評，可
是這個社會卻不再把它看作「牛虻」，沒有人再覺得被他和他的
言論騷擾。李敖還是李敖，然而會被李敖冒犯，因爲李敖其人
其言而感到不安的，卻越來越少了。

　　李敖在這個時代依然受到注目，依然擁有高知名度高曝光
率，是因爲有越來越多人覺得他很有趣。李敖不再騷擾（dis-

turb），李敖提供另類娛樂（entertain）。

　　爲什麼會這樣？這真的不是李敖的問題，李敖一直還是李敖，只是時代更易了、社會改變了。現在的李敖最像塞萬提斯筆下的唐吉訶德，他心目中的萬惡魔鬼在別人看來是一座座巨大卻無害的風車了。

　　李敖其實也自覺到自己由一個異議騷擾分子轉型成爲偏激娛樂角色的轉變。他偏激依舊，然而他的偏激引來的不再是憤怒或忌諱，而是看熱鬧的莞爾笑容。

## 自戀的「偉大情史」

　　《上山・上山・愛》雖然是李敖的第二本小說，不過在性質、主題上，這本小說和前面那本《北京法源寺》卻大異其趣。《上山・上山・愛》真正承接延續的是《李敖回憶錄》以及《李敖快意恩仇錄》。《上山・上山・愛》主角雖然不叫李敖而叫萬劫，不過從他的經歷到他的遭遇到他的性格，徹頭徹尾就是李敖的翻版。甚至連小說中部分情節梗概，都在李敖的回憶錄當中出現過。

　　換句話說，《上山・上山・愛》其實是用小說的形式，來寫李敖認爲應該發生在自己身上的偉大情史。回憶錄的寫作，讓李敖過了自吹自擂的癮，然而回憶錄的形式，畢竟還是限制了李敖只能去寫真正發生過的事；真正發生了的事，不管再怎麼戲劇性再怎麼英雄，到底還是跟李敖心中賦予的自我形象，有一段差距。

《上山・上山・愛》裡的萬劫，是英雄時代李敖的理想化身。李敖藉著寫萬劫，不只可以不斷把自己帶回那個一逝不復返的英雄時光中，更可以修改真實英雄歷史中不夠完美的過程。所以《上山・上山・愛》呈現了李敖心目中的理想女性身影，呈現了李敖心目中的理想愛情過程，也呈現了李敖心目中的理想男女性關係。

說老實話，李敖鋪陳的理想女性、愛情過程，乃至於男女性關係，並沒有什麼特別深奧或特別美麗或特別高妙之處。他的理想女性沒什麼自我個性、他追求的愛情過程短暫而造作、他能享受的性關係完全是男性中心、征服本位的，這些東西對經常浸淫在日劇豐富的愛情細膩質地的新台灣社會來說，實在沒什麼了不起的吸引力。

不過倒也不能就這樣論斷《上山・上山・愛》除了滿足李敖的自戀癖外，便一無可取。《上山・上山・愛》最有趣、最迷人的地方，既不在李敖「大頭」的表演，也不在他「小頭」的征服，而在「大頭」為「小頭」服務，以雄辯知識內容來作為調情材料的這段過程。

《上山・上山・愛》寫得最好的部分，就是調情。甚至可以說，《上山・上山・愛》中所有的內容，都是調情的工具與調情的內容。李敖在這本小說裡，把他所有的思想、所有的反叛、所有的英雄行為，恣意地搬出來，作為一步步引誘少女和他上床作愛的釣餌。故事裡三十年前與葉莢的關係是這樣，三十年後與君君的關係也是這樣。

## 淋漓盡致的調情小說

小說裡的萬劫，如果換個角度看的話，就像隻發情中的公雞，急於展示自己最美麗的每一根羽毛，一方面用睥睨敵人的方式爭取女性的注意，另一方面必要時也不惜採用悲劇性的手段攻擊比他強悍許多的對手，不願在女性面前露出可以被懷疑其英雄氣概的任何破綻。

我們很少看到寫調情寫到這麼淋漓盡致的小說。我們也很少看到這麼耐心拖長調情過程的小說。我們更沒讀過用這麼多奇說怪論、不斷的辯談來調情的小說。

而且藏在冗長調情主題背後的，是兩層李敖不見得願意同意的弔詭。一層弔詭在於，如果看穿了英雄氣概原來只是調情的手段，那麼不只是英雄氣概失去了自主存在的價值，更進一步表面上看到的征服，其實反而是男性費盡苦心、用盡力氣才去求得的成績。真正的主動選擇權，原來還是在女性手中，只是女性也願意在這個過程裡與那個不斷誇炫的男性雙簧互動，演出一齣征服者與被征服者的假戲罷了。因為有著潛藏的那分逆轉弔詭，才使得《上山‧上山‧愛》那麼明白的大男人主義得到了修正，不再讓人那麼受不了。

第二層弔詭則是，英雄氣概只是調情用的，於是小說裡那些了不起的言論，也就不再了不起，而是還原成為一段段誇張、偏激的娛樂。它們失去了現實裡的挑釁銳利，失去了對一般讀者生活干擾的相關性，它們只是故事裡萬劫與葉苿、萬劫與君君的愛情元素，我們以旁觀的角度看著、笑著、享受著。

　　萬劫就只是那個故事裡的主角。我們不再感受到他的言論與我們有什麼直接關係。對《上山‧上山‧愛》的讀者而言，萬劫是個成功的調情者，卻不像是李敖曾經扮演過那種教人家應該做什麼、怎麼做的導師角色。

　　雖然李敖自信、也希望大家相信《上山‧上山‧愛》又是一本曠世巨著，是一本可以睥睨取代一切其他小說的經典，不過事實是，《上山‧上山‧愛》只在「愛情小說」、尤其是「調情小說」這個文類上，以要嘴皮來調情的特別寫法，做出了特別的貢獻。它鑲嵌在文學史的一個小小角落，發散著自己的獨特光芒。

# 李敖與文學

《北京法源寺》裡的每個人物，從康有為、譚嗣同到梁啓超，其實都有李敖自我投射的部分。藉由角色的掩護，李敖終於暴露了他其他作品中少見的感傷與挫抑。感傷革命熱火裡無從逃避的孤寂、挫折，不管以血以淚以生命為價，群體的啓蒙始終遙遙無期。

李敖不是我們一般意義下的文學家。文學的核心在於一種實驗語言、操弄語言、開發語言的態度。文學之可貴，在於不斷探測其他定理、規條無法標誌、範限的灰色地帶。文學處理人間是非曖昧、對錯模糊的複雜性。其他的知識傾向於簡化、整理複雜，藝術文學卻以多變的形式試圖傳鈔模寫、複製呼應，甚至深化錯離這種複雜性。

李敖對於語言的概念，求其明快直截。他的語言典範是白話文草創時期，提出「我手寫我口」原始概念的胡適。他對於白話文除了明快直截傳遞思想訊息以外，還會因應文學要求的複雜性，發展出一套既不同於文言文、又異於日常口語的「文藝腔」、「文藝語言」，既不了解、也沒興趣、更不尊重。

　　李敖的是非觀念，傾向於兩極化，而且幾乎毫無例外都是強調「己是人非」。他的自我與自我理解，更是缺乏關注幽微面、測探潛意識的層次，一切都表現了大剌剌的直語直說。

## 李敖與文學的交集

　　不過這倒不等於說，李敖和文學就全然沒有交集交會的地方。他的文字概念雖然粗糙明顯，然而他實際在運用文字時，卻也的確塑造了感染力極強，卻又很難有人模仿得來的獨特風格。他也許不是自己說的「五十年來白話文的第一名」，卻無疑是五十年來煽動性文字風格開創與持續實踐的第一名。因為有李敖，使得原本傾向於保守、四平八穩的中國文字，增添了一個新的面向、開發了一個新的可能。

　　李敖也的確具有吸引國際文學建制青睞的特殊條件。現代文學的價值意識形態，最麻煩的就是往往過不了翻譯這一關。語言上的實驗、開發，灰色地帶的細微挖掘，一旦經過了翻譯，往往就失去了原味。所以價值應然上想要找合於這套標準的作品，然而實然操作上，很容易就會簡化成特別凸顯文學最不受限於語言藩籬的一點特色——那就是質疑、反抗既有的秩序。

　　我們可以看出來，愈是西方熟悉、通用語言文字的作品，愈能合乎對於文學複雜性的要求標準；然而反過來，愈是用西方所不熟悉的語言文字寫作的，會被看中會被挑選的，常常就是在形式、行動上，最明顯挑戰挑釁強權，挑戰挑釁固定舊結

構的作家。

　　這是諾貝爾文學獎多年來的兩面性，這也是諾貝爾文學獎多年來不只獎勵文學上的成就貢獻，還三不五時就頒獎去凸顯那些具有普遍人權意義的作家與作品，最重要的理由。

## 雜文與歷史考證的雜揉

　　李敖能不能得諾貝爾獎，那是另外一回事。他幾十年來用文字與監視、迫害、恐嚇他的威權奮鬥周旋，這種精神也符合於諾貝爾文學獎的一種價值，卻是事實，不容因為他的作品在一般文學技術上的簡略，便予一筆抹殺。

　　李敖為數眾多的作品，最主要的形式是一種雜揉了雜文與歷史專論的體裁。

　　他一邊排比拼貼，一邊彰示不同材料間的齟齬歧異，同時一邊嘲弄這齟齬歧異所透露出的人間偽善、虛矯及文飾、欺瞞。

　　他兼有清乾嘉以降考據家的精密、耐煩，和魯迅式雜文家的尖酸刻薄、睥睨一切。他和考據家一樣對歷史資料的搜羅瘋狂入迷，除了博聞強記之外，還念茲在茲不斷設計分類架構、建造龐大檔案。他和雜文家一樣充滿偏見、執著偏見，以連串的誇張性修辭刻意凸顯為他偏見所不容的人事物，是何等荒謬何等卑劣何等不堪。

　　不過和考據家相比，他的史料好奇心突破了傳統的「著作」、「文章」概念，遍於公家記錄、私人斷簡殘章，特別著意

於揭露人的「公」與「私」，或「今」與「昔」的衝突矛盾。

　　和像魯迅這樣的雜文家相比，李敖就少了一分自我譏諷、自我挖掘的內省性，以及由這分內省所產生的「幽黯意識」、恐懼沮喪以及深刻的悲劇感。李敖始終是昂揚奮發的、始終是自信滿滿的、始終拒絕承認自己的限制，於是即使在軍中在國民黨的監視下，他還是唱著英雄式、喜劇式的歌調。

　　李敖最特別的成就，就是把這種「考據雜文體」琢磨到爐火純青。雜文的大膽論斷，使他的作品火辣引人注意，而考據的一步一證，又使他的作品具備高度說服力。不論雜文或考據，都屬高難度的寫作文類，加上兩者所需的性情傾向、努力準備南轅北轍，於是便造成「效者眾而肖者無」的現象了。

　　李敖的英文程度不差，然而他顯然殊少受到西方現代文學影響。他對現代哲學、現代文學，慣常抱持一分不信任的態度，他知道「艾略特（T.S. Eliot）已咬定小說到了福樓拜（Flaubert）和詹姆士（Henry James）之後已無可為」，不過他對福樓拜和詹姆士之後的現代小說到底長什麼樣子、玩什麼花樣，顯然不甚了了。所以他自己能資以選擇來鍛鍊作品的文學滋養，也就只能停留在中國傳統舊觀念，以及「五四」到三○年代的「白話文革命」實驗性簡單原則了。

　　李敖讀傳統舊詩的能力不差，文章裡引用的舊詩也往往能達到畫龍點睛的預期效果。《北京法源寺》裡有一段，他藉康有為之口解讀杜甫的〈江頭五詠丁香〉，尤見功力。不過李敖自己作的詩，就很難令人恭維了。他的詩不文不白、不新不舊，遊戲打油的味道太重，不太經得起怎樣的細究分析，像〈忘了

我是誰〉那樣配了曲作歌詞還不錯，獨立當詩來讀，就未免太
單薄了。

## 藏在小說裡的感傷

李敖在一般概念下的文學作品，嚴格說來只有《北京法源
寺》這本小說了。李敖自己大言夸夸，自欣自懌說《北京法源
寺》是什麼樣了不起的曠世巨著，結果反而使得文學人心生反
感，望而卻步；非文學界的人慕名而來，卻只見滿紙議論，既
無情節也少有戲劇起伏，讀完只覺頭痛和失望。

這樣的閱讀反應，說來可惜。《北京法源寺》當然沒有李
敖自己說的那麼偉大，不過就其鋪陳晚清時期思想互相衝激的
用心，的確有些難得建樹。唯一比較明顯的毛病是來自李敖自
我主張真的太強了，強到會把他的現代觀念硬餵給筆下的古
人。不過也正因此，顯露出這本小說另一層特殊的意義，那就
是小說裡的每個人物，從康有為、譚嗣同到梁啟超，其實都有
李敖自我投射的部分。藉由角色的掩護，李敖終於暴露了他其
他作品中少見的感傷與挫抑。感傷革命熱火裡無從逃避的孤
寂、挫折，不管以血以淚以生命為價，群體的啟蒙始終遙遙無
期。

我們在小說虛構的影霧裡，終於看到即使號稱最坦白最真
實的《回憶錄》、《恩仇錄》都看不到的另一個李敖，內在的李
敖。

# 多情又專情的王度盧

王度盧是寫實的,他把大俠、江湖當作一種現實行業來描寫其
中打滾的辛酸苦楚;所以王度盧也是專情的,他專寫愛情的複
雜面向、愛情歷經江湖挫折阻擾而變形的過程。王度盧把民初
流行的兩種大眾文類——武俠小說和言情小說,冶於一爐,這
是他獨特的本事,

　　感謝李安的電影,把幾乎已經被遺忘了的王度盧作品,從
廢紙堆裡復活出來。這「復活」二字不是隨便說的,本來沒人
讀沒人知曉沒人記得的武俠小說,突然被最新最神妙的電影視
聽技巧,轉化成全世界幾億人看得目瞪口呆的活生生影像,那
麼具體又那麼傳奇,不論是俞秀蓮和玉嬌龍的城樓追逐,或是
李慕白和玉嬌龍的竹林翻飛,都讓人永誌難忘。

　　感謝有李安的《臥虎藏龍》,才會有新版的王度盧的《臥虎
藏龍》。不過要讀遠景版的《臥虎藏龍》,先得跟封底上錄的一
段話爭議一番。這段話摘自香港《明報》社長董橋的一篇小文
章,董橋是這麼寫的:

中國武俠小說有舊派新派之分，舊派以平江不肖生、還珠樓主及王度廬爲代表人物，新派以金庸、梁羽生、古龍爲代表人物，不言而喻，後者深受前者的影響。

本書爲王度廬最爲人稱道的代表作……《臥虎藏龍》爲王度廬系列小說「鶴鐵五部」的第四部，小說以九門提督之女玉嬌龍和沙漠大盜羅小虎的愛情悲劇爲主軸，交織江湖恩怨，兒女情仇，鋪展成有聲有色的武俠史詩。

本書人物眾多，關係複雜，作者以純粹京腔文字穿插滿族生活習俗，民間社會百態，其構思之奇，情節之妙，佈局之巧，氣魄之雄，堪稱武俠小說歷史上的豐碑。

董橋的文章，不論是鍊字鍛句的細膩，或所思所感的別出心裁，我向來都是深爲歎服的。唯獨他寫王度廬，寫《臥虎藏龍》，我不得不有點不同意見。董橋這段話每句看起來都對，都有道理，問題出在如果認眞追索中國現代武俠小說系譜發展的話，卻又覺得每句都需要但書解說。

## 介於「新派」與「舊派」之間

沒錯，長期以來大家習慣將武俠分新、舊派。會有「新派」類別，主要是金庸、古龍，尤其是古龍所寫的武俠小說太奇太怪，打破了許多原有武俠小說的類型規範。然而這新舊一分，

《臥虎藏龍》
王度廬／著
遠景出版公司

關係甚大。首先是讓人誤會這兩派沒啥關係，導致許多讀新派如金庸、古龍成迷的人，根本就對舊派興趣缺缺，甚至完全視若無睹。這就是爲何董橋要體貼地補上一句：「不言而喻，後者（新派）深受前者的影響。」

然而新舊一分，還有一個更嚴重的效果，那就是舊派逐漸被淡忘，到後來舊派的代表就只剩下平江不肖生和還珠樓主了。就算是武俠迷，提起想起舊派，只能搬得出《江湖奇俠傳》和《蜀山劍俠傳》，如果對讀平江不肖生和金庸，或還珠樓主和古龍的作品，必然會覺得根本就天差地別，根本就格格不入，根本看不出來這兩派有什麼精神、氣息相通之處。

新、舊派一判分，最倒楣最慘的是那些風格介於新舊之間，不新不舊，但眞正扮演了舊變爲新的橋梁的中間派。新舊派分類，最大的效應就是讓這些人的作品被排擠、埋沒了。這些人包括了顧明道、宮白羽、朱貞木、鄭証因，當然也就包括了王度廬。

從這個系譜脈絡看，把王度廬歸爲「舊派」，是不夠精確的。王度廬之所以長期被埋沒，正因爲他的作品寫作出現時期舊，可是作品裡的關懷焦點卻比較接近新派，結果才在新舊之間兩頭落空。

和平江不肖生的作品相比，王度廬沒有那麼濃厚的「江湖

味」。在平江不肖生之前的傳統俠義小說裡，有俠卻沒有江湖。俠仍然在一般官府、人家的架構裡，打抱不平殺人放火後，還是接受招安，不然就去考武狀元當官。平江不肖生最大的貢獻就是創造了一個供這些俠客們自由揮灑的「另類空間」，一個和官府家常平行存在的「江湖」。「江湖」有一部分是明清以降盛行的祕密會社的寫實反映，然而更多的卻是與武術武功流派結合之後的虛構想像。從平江不肖生之後，武俠小說裡有愈來愈多的門派、門派之間的長遠恩怨與合縱連橫，進而給了武俠小說一個共同的主題——武林盟主的爭奪。武林盟主正是「江湖」另類空間中的皇帝、總統。真實世界裡大家爾虞我詐爭當政治領袖，武俠世界裡相應地就打打殺殺搶盟主寶座，這是一種時代氣氛，也是一種集體心理的發洩。

然而王度廬小說裡，「江湖」的意味薄弱。他的「鶴鐵五部」也不是複雜的江湖大車拚史詩，這點他和平江不肖生大不相同。

再拿王度廬來和還珠樓主相比的話，我們又會發現王度廬小說裡少了那些神奇的武功招數。王度廬小說人物當然還是能飛簷走壁高來高去，他們也都使劍使刀各有絕學，不這樣還叫什麼「武俠小說」？可是王度廬卻不會耗費篇幅去發明出一堆武功招數的名稱，他的人物打鬥也都蠻素樸的，不外是「槍尖亂點，白纓飄舞」，或者「單刀如鷹翅似的跳起來砍去」而已。

在所有這些武俠名家裡，王度廬最是守武術分寸。他的打鬥招數幾乎都是從既有的國術基礎裡演化而來，有淵有源，頂多誇張一點出乎平常的速度、神龍見首不見尾的身形，卻絕對

沒有天馬行空的渲染虛構。

## 平實不誇張的王度廬

好了，既然沒有複雜的「江湖」，也沒有武功上的奇技淫巧，那王度廬的小說裡到底有什麼？北大教授，寫《千古文人俠客夢》的陳平原，講得最明白最透徹：

> 真正寫好俠客的「兒女情」，把所謂「俠情小說」提高到一個新境界的，大概得從王度廬的《鶴驚崑崙》、《寶劍金釵》等算起。首先，大俠們的最高理想不再是建功立業或爭得天下武功第一，而是人格的自我完善或生命價值的自我實現；其次，男女俠客都不把對方僅僅看成打鬥的幫手，而是情感的依託，由此才能生死與共，產生現代意義上的愛情，也才有愛情失落後銘心刻骨的痛苦。王度廬「擬以任俠與愛情相並言之」（《寶劍金釵》自序），……並非只是在英雄爭鬥中引進哀豔故事，或者寫出英雄的兒女私情，而是著力表現男女俠客由於特殊生存環境造成的複雜而微妙的感情變化。……也就是說，不是在剛猛的打鬥場面中插入纏綿的言情片段來「調節文氣」，而是正視俠客作為常人必然具備的七情六慾，借表現其兒女情來透視其內心世界，使得小說中的俠客形象更為豐滿。

所以王度廬是寫實的，他把大俠、江湖當作一種現實行業來描

寫其中打滾的辛酸苦楚;所以王度廬也是專情的,他專寫愛情的複雜面向、愛情歷經江湖挫折阻擾而變形的過程。王度廬把民初流行的兩種大眾文類——武俠小說和言情小說,冶於一爐,這是他獨特的本事,也是他替後世新派武俠,不管是《神鵰俠侶》還是《多情劍客無情劍》,打開的寬廣空間。

和其他武俠小說相比,王度廬的小說,因為把重點焦點放在情愛糾葛上,人物關係最是單純。用武俠小說的標準看,《臥虎藏龍》非但算不上董橋說的「人物眾多,關係複雜」,反而表現出了與其篇幅不相襯的高度集中。

## 寫不完的情愛糾葛

甚至我們在電影裡看到的李慕白與俞秀蓮的關係,在《臥虎藏龍》裡都擠不進來。真正寫李慕白與俞秀蓮的是更前面的《寶劍金釵》。《臥虎藏龍》裡李慕白根本就面目模糊,偶爾露臉、迅即消逝。王度廬專心一意在《臥虎藏龍》裡要寫的就是玉嬌龍和羅小虎。對於能夠凸顯一龍一虎的個性、愛情艱辛歷程的,王度廬絲毫不吝惜篇幅,不放過任何細節;相反地,和龍虎無關的,就算是大俠李慕白,他也棄若敝屣。

《臥虎藏龍》裡,為了引帶出玉嬌龍,王度廬寫活了一個劉泰保,事實上全書始自「一朵蓮花」劉泰保,最後也終結在劉泰保。為了給羅小虎的身世遭遇充分的背景說明,王度廬也以細筆寫了一個高朗秋,讀完小說,這幾個角色縈繞心間,久久不去。

　　可惜這幾個角色，在電影裡都不見了。電影裡同時消失了的，還有小說中濃厚的悲劇宿命色彩。玉嬌龍的命運被她的官府出身和她的高超武功，這兩種不相容的成分給糾結纏死了，終究無法走出來。她後來雖然走出侯門，畢竟還是不能做羅小虎的妻小，因為羅小虎儘管改了盜行，到底還是強盜出身。兩人誰也改不了出身，也就突破不了宿命。

　　電影中玉嬌龍最後縱身一躍的瀟灑，在小說裡是沒有的。小說捲在禮教的保守局面裡愈捲愈緊，捲到讓人喘不過氣來，只剩最後的悲劇與無奈。瀟灑和無奈，哪個比較好？讀者觀眾只好自己選擇了吧。

# 人情糾葛的不解之結

## ——讀郭寶昌的《大宅門》

《大宅門》從頭到尾，是連環不斷的人與人恩仇情結。不管是白家大宅院裡為數眾多的親族角色，藥鋪的興衰起落，乃至一代又一代的生老病死，都只是為了讓人與人的勾心鬥角能夠淋漓盡致發揮搬演的背景、舞台罷了。

嚴格來說，郭寶昌的這部《大宅門》並不是小說。雖然他自己在序言〈我與《大宅門》〉中說：

我自十六歲始，寫《大宅門》這部小說，歷經四十載，三次所寫的原稿被毀於政治風波、社會動亂及家庭變遷，幾乎喪失了鬥志，自嘆「天滅我也」！可是，一種責任感，一種寫不出來便有的一種罪負感，終於使我完成了這部作品。

我們現在看到的這部作品，顯然是最後最近的稿本，也就是郭寶昌已經做了導演，已經有了要將這個題材拍成電視劇的念頭

《大宅門》
郭寶昌／著
尖端出版公司

後，才進行的稿本。所以在形式上，這部書其實比較像是稍微詳細些的分場劇本，不只書中四十章段落剛好就是電視劇四十集的架構，就是各章內部的分隔，也非常明顯是以各場為單元單位的。

## 「電視小說」的優缺點

讀這樣一本書，因而就必定會讀到與電視連續劇同樣的優缺點。優點是情節的進行極為清楚，一切內容都是由動作來表達，戲劇張力、角色性格是撐起整部作品的關鍵元素，所以讀者一定會對各個角色存留相當強烈的印象，故事主線也都綱舉目張，不只不會混淆弄錯，而且也非常易於記憶、轉述。

不過相對缺點就在沒有辦法容納比較認真比較深刻的內在世界。所有的角色中，我們會記得既能幹又深謀遠慮的白文氏、會記得勢利搗蛋的白穎宇、會記得衝動魯莽卻又藝高膽大的白景琦……而這些角色的共同特點是他們都有偏執誇張外放的個性。

相對地，小說中幾個內斂型的角色就被擠到邊緣去無從發揮了。例如說那個嗜好舞文弄墨，最後被無賴韓榮發氣得摔跤意外跌死的二爺白穎軒。除了第八章有一段鮮活顯現他跟兒子景琦鬧玩的描述之外，在其他地方穎軒就是個懦弱無用，只能

躲在妻子白文氏背後的一道陰影式的存在。然而正是第八章那靈光乍現的一段提醒了我們：白穎軒其實有他天真的一面，有他深刻對於書畫的信念與執迷，也有他衷心矢志不渝的追求。白穎軒的執迷、追求，一來和白家的家業起落沒有直接關係，二來其高度內向性無法用戲劇動作與對白來表達，於是這樣一個角色就被犧牲掉了，整部作品也就少了原本小說形式可以容納的深度與複雜度。

　　不過如果不以小說的標準，換以戲劇與劇本的角度來看的話，《大宅門》當然甚有可觀之處。至於這可觀之處最重要最特別的到底是什麼，也許我們換個方式繞個彎可以說明得更清楚。

## 如果「大宅門」是一部日劇

　　繞什麼樣的彎呢？

　　《大宅門》明著寫的是「百草堂」的故事，不過大家都知道，郭寶昌也希望大家都知道，骨子裡的現實摹本是北京同仁堂。郭寶昌序裡說：「我自幼在大宅門裡生活，成長於大宅門中，直到『文革』來臨，大宅門徹底消失，達二十六年。大宅門裡的恩恩怨怨、生生死死、血淚情仇、幾度興衰，我耳聞目睹，親歷親為，酸甜苦辣，悲喜怒怨，無時無刻不在激盪我的情懷……」這段話的用意就是要給整部《大宅門》一個深厚的「真理基礎」，昭告讀者觀眾：這一切不都是虛構，這一切乃是出自對親身經歷記憶的翻寫。

　　郭寶昌的記憶是關於北京同仁堂的記憶。而北京同仁堂是中國近代最有名的醫藥機構之一，並因與朝廷間的密切關係，而據占了中國醫藥界的頂峰地位。在西方醫藥制度傳入中國之前，同仁堂集最精良最值得信賴的醫術、最精良最值得信賴的藥學研究，以及最精良最值得信賴的製藥成就於一身，其重要性不言可喻。

　　了解《大宅門》的歷史背景、了解同仁堂的特色本事，我們可以這樣設問：如果不是郭寶昌，不是中國的電視劇，換作是日本人日劇，會用什麼手法來處理像同仁堂這樣的題材故事呢？

　　一個特殊的行業、一門必須專精鑽研的技術、一種可以衍生發展出各式各樣人生關連意義的活動，看慣日劇的人一眼就能感受到這裡面所蘊藏的戲劇潛力。

　　我立刻可以想像，有些東西絕對是重點，絕對是不可或缺的。第一是對於這門技術的極致發揮、傳奇式的發揮，這點是日本漫畫與日本戲劇最常見的制式突破點。從做壽司做菜到打籃球踢足球再到經營和果子老店甚至送快遞，戲劇性的焦點總是在不屈不撓一定要找出更好的方法追求完美的結果，技不驚人死不休。

　　我們還可以想像到一定會在這個行業這分技術所激起的人生反省上，大作文章。連送快遞都能編派出一長串關於人生使命感、時間感與人際溝通的道理來，何況是醫與藥？醫與藥日日夜夜時時刻刻都在面對人的生與死，同仁堂這樣層級的醫藥活動，更是日日夜夜時時刻刻穿梭徘徊在不同財富不同階級的

人之間，而有不同生死命運的對比情境，如此背景不正最適合
衍生出各式各樣通俗哲學化的啟示與啟發嗎？

有意思的是，《大宅門》在這兩方面並沒有什麼凸出的表
現。在醫藥方面，我們頂多只看到了慈禧太后逃到西安時，靠
白家的藥救了命，看到白景琦在翻書寫祕方，然而這些藥到底
有多神奇，跟別家的藥有多大的差別，乃至於白家如何在研發
藥方以及選購藥材方面，發揮怎樣的智慧與精神，郭寶昌顯然
不真的那麼關心介意。

在生命意義的探求上更是疏略了。我們多次看到白家的人
自己面臨死亡的情節，醫人的人自己變成病人，這種角色經驗
對調，張力夠大了吧，可是郭寶昌每次都沒有利用這種場景，
讓他的角色講出任何值得記誦、值得傳流的生命反思名言來。

又例如白家的人生病了，依例不能由自家醫生看病。這樣
一種習俗內在含藏多少智慧與多少無奈，郭寶昌也沒多加著
墨。甚至白家大爺下過大牢、在大牢裡被判死刑，以帶罪之身
竟然還去替仇家的母親看病，再險險逃過一死撿回性命，遠走
西北隱姓埋名，這樣的經歷夠不凡夠稀奇了吧，然而在郭寶昌
筆下，這位白家大爺從頭到尾也沒對生命的哲學留下過任何深
刻的意見。

## 能不能成功處理人際才是關鍵

我們可以確知一件事，《大宅門》和日劇截然不同。熟悉
日劇的觀眾預期這樣一個題材應該會有的賣點，《大宅門》裡

都沒有。可是《大宅門》還是齣好看的戲。那《大宅門》裡到底有什麼？《大宅門》究竟哪裡好看了？

《大宅門》裡有，而日劇裡不一定有，有也沒那麼多、那麼細緻的，是複雜的人情糾葛，是層出不窮的爾虞我詐，工心計較。《大宅門》從頭到尾，是連環不斷的人與人恩仇情結，不管是白家大宅院裡為數眾多的親族角色，藥鋪的興衰起落，乃至一代又一代的生老病死，都只是為了讓人與人的勾心鬥角能夠淋漓盡致發揮搬演的背景、舞台罷了。

正是在寫人情糾葛上，見到郭寶昌真實的功力。事實上，在郭寶昌所建構的那個世界裡，人的成功失敗，人的好壞得失，也幾乎都是以他們是否有能力利用人情而不為人情所絆倒來評量來決定的。

《大宅門》前半部寫活了白文氏，一個在強大父系宗族結構裡，意外崛起、壯大的母權者（matriarch）。白文氏憑什麼以媳婦身分接掌白家，又憑什麼坐穩當家寶座創造繁榮傳奇？憑藉她對人情連環反應的預期、評斷，比白家的任何其他人都來得準確；憑藉她能夠預先洞悉別人的心眼陰謀，借力使力擴張自己的權力。與白文氏有關的每一個故事，都是人情故事。

《大宅門》最核心的人物，當然是白景琦，故事開始於白景琦誕生，結束在白景琦立遺囑替自己一生先行蓋棺論定。白景琦豪氣地歷數自己曾經做過的荒唐、脫軌的事，然而我們卻發現，白景琦如此任性妄為，最後竟然不只全身而退，還能創造一番事業。他靠的還是關鍵時刻操弄人際關係的獨特本事。

最明顯的例子是白景琦被趕出家門，遠走濟南的那段經

歷。他能夠成功，固然有賴在家裡耳濡目染習得的高超藥學知識，創出了品質最佳的瀧膠，可是郭寶昌大力去渲染描寫的焦點，卻是他怎麼利用堂姊玉芬的關係，以一泡屎詐得五千兩來發展業務的這一段。

　　類似的狀況也發生在白景琦啓蒙「轉大人」經驗中的關鍵情節，那就是他第一次參與買藥材的經驗。如果是日劇或日本漫畫，重點顯然一定會放在如何以慧眼找到最精最好的藥材，如何歷經千辛萬苦也要挖出「絕品」的過程。然而在《大宅門》裡，郭寶昌選的戲劇性情節，卻是兩位老家臣怎樣運用藥商的預期心理，以超低價錢買到珍貴藥材。關鍵還是在比心眼、在勾心鬥角。對兩位老臣的肯定，是肯定他們在這方面的經驗與本事；對白景琦的肯定，也是肯定他能夠在這方面殷勤學習。

　　換從反面看，道理邏輯也還是一樣的。白家最不成材最不爭氣的是三爺白穎宇，全書給人印象最差的是武貝勒。要使這兩個人不被喜歡，郭寶昌不止是讓他們設計陷害、詐騙別人，還讓他們陷害、詐騙手法拙劣，不成功自己反受其害。這不是善有善報、惡有惡報的循環（別忘了白景琦在任性的成長過程中，也幹過不少壞事），毋寧是對不能巧妙處理人際關係者的嘲弄與譴責。

　　《大宅門》依靠人情糾葛來營塑戲劇、推動劇情，幾乎到了執迷（obsessive）的地步了。而正是這種反覆探索人情奸巧的各種可能性的執迷態度，讓《大宅門》和其他故事其他戲區分開來，彰示了它最吸引人的性質。

# 用隱藏來訴說

## ——讀村上春樹的《神的孩子都在跳舞》

村上一方面個別化了地震的影響，讓受地震震駭的經驗具體呈現；另一方面得以在語言無法明白達致的深處，提醒所有人：不管有沒有親人朋友命喪地震中，我們其實都脫離不了地震的傷害，地震改變了我們生命中某種感受某種習慣，這發生了的事就已經發生了，無法否認也無法復原。

　　《神的孩子都在跳舞》出版時，不管是日本或台灣的媒體談起這本書，都說是「村上春樹寫了一本關於地震的小說」。

　　這樣的說明不能算錯。的確，這本小說集裡一共六篇作品，每篇都以不同的方式提到了阪神大地震。對於親歷了那場地震的日本，或是也遭受過九二一地震襲擊的台灣，會先讀到有關地震的印象，毋寧是滿自然的。可是重點在：村上春樹到底用什麼態度什麼方法來書寫地震？地震在這六個故事裡到底扮演什麼角色？或者換一個方法問：地震對村上春樹究竟具有怎樣的存在的或思考上的意義？如果說《神的孩子都在跳舞》是一個答案，我們能不能從這個答案反推出干擾、困惑著村上

春樹的究竟是什麼？

## 面對集體災難的無奈

這次村上的書沒有給我們太多除了小說本文之外的線索。沒有作者自序、沒有後記、沒有文庫本慣常會有的「解說」。勉強能夠找到的只有全書最前面兩則引文。一則引自杜斯妥也夫斯基的《惡靈》，沒頭沒尾莫名其妙的三句話：「『麗莎，昨天到底發生了什麼事？』『發生的事已經發生了。』『那太過分，太殘酷了！』」

另一則引自高達的電影，一位女子聽到廣播裡報導越戰中越共死一一五人時，忍不住慨嘆：「無名的人真可怕啊。」「只說游擊隊戰死一一五名，什麼也不清楚。關於每一個人的情形什麼都不知道。有沒有太太小孩？喜歡戲劇還是更喜歡電影？完全不知道。只說戰死了一一五人而已。」

我們不可小看、忽視了這兩段引文，尤其如果將這兩段引文和村上春樹之前另一本以社會事件為題材的作品——《地下鐵事件》相對照的話，一個主題、一種理解就浮現出來了。

村上春樹為什麼捨棄了過去長期習慣的虛構小說手法，去寫奧姆教派在東京地下鐵施放沙林毒氣殺人的現實事件？因為他在地下鐵事件中感受到了一種揮之不去的殘酷與無奈，逼迫他必須以寫作、以那種方式寫作來進行驅魔，那就是：面對龐大悲劇時，人在感受感知上的局限性。

平常如果是自己親人中有人自殺，我們不只會受到自殺這

《神的孩子都在跳舞》
村上春樹／著
時報文化公司

個行動的衝擊，我們還會清楚地感受到這個人，活生生的人，突然消失不見了。我們會由經驗與存在本體上，不斷回憶複習這個人的容貌、行為、喜好，以及一切的細節。我們悲傷、難過，因為就是確確實實這個人的死去，帶來給我們的匱乏、損失、傷害。

或者說社會上哪個小學生被綁架被撕票了。我們不認識他，也不認識他的父母，然而我們一樣可以感受到這個人、這個家庭。他們的形象會在一片紛紜混亂的資訊中浮凸出來，強迫我們去逼視，強迫我們為這特定的小孩、特定的家庭難過、痛心。

然而像地下鐵事件就不一樣了。那麼多人同時遇害，災難是集體的。無可避免地他們的個別身分、他們的個別性（indivduality）就被事件的整體性、集體性掩蓋了。我們不是不知道，他們來自不同背景、是完全不一樣的人，純粹巧合在同一時間同一地鐵車站被毒氣襲擊，我們知道的。可是在事件的喧鬧中，我們就是不可能去感受到，我們無能為力。

或者像阪神大地震。數千人的生命瞬間同時殞沒。不管我們怎麼努力挖掘報導，我們就只會記得只能意會到那「數千人」空洞的抽象的集體概念，甚至越是挖掘報導，越是空洞抽象。因為人的感官認知，就是沒有可以容納幾千個「個別性」的空間。

## 對於「地震論述」的質疑

從這個角度看，村上春樹藉著《神的孩子都在跳舞》默默地對我們熟悉的「地震論述」提出了抗議質疑。那樣的「地震論述」只會使我們感受不到地震對每個人真正的影響。雖然地震是集體的、社會性的災難，然而真正的傷害，除了災禍、死亡之外，還有一些是極個人、極細微的。

《地下鐵事件》和《神的孩子都在跳舞》的共通性在這兩本書都試著去「個別化」（indivdualize）集體龐大災難。不過這兩本書嘗試達成這個目標的手法，卻截然相反。《地下鐵事件》利用敘述（narrative）來揭露；《神的孩子都在跳舞》卻利用敘述來隱藏，或者說，利用隱藏來達到以敘述、語言表達的悲哀與傷懷。

幾乎每一篇小說都有一件最重要最核心的事，作者選擇了不要告訴我們。換句話說，村上春樹違背了一般小說寫作上作者與讀者間的基本默契，他只是營造塑建起濃厚的氣氛，讓我們知道小說故事牽涉到一個祕密、一個關鍵的未知之謎，可是最後小說卻戛然止於祕密與謎依然沒有揭露之處。

〈泰國〉這篇小說裡，尼米特帶畢月去見巫婆般的老女人，老女人說畢月的身體裡有石頭，未來會夢見一條蛇。接著寫到了畢月和尼米特去喝咖啡，畢月向尼米特坦白她有一個從未對人說過的祕密，她對尼米特說了個開頭，尼米特就打斷她，不要她說下去，尼米特說：「我了解妳的心情，不過一旦化為語言，那就會變成謊言。」所以那個一旦化為語言就會變成謊言

的祕密，一直到小說終局，不只尼米特不知道，我們也不知道。

〈神的孩子都在跳舞〉這篇小說裡，貫串全書背景的祕密，是善也這個小孩到底怎麼來的；而浮顯在情節裡現實的謎，則是善也在電車上遇到、一路跟蹤的那個人，到底是不是他生父。祕密和謎，村上都不肯給我們解答。他讓那個被跟蹤的人無聲無息消失在一座棒球場裡，什麼線索都沒有留下。

〈UFO降落在釧路〉更是充滿了被隱瞞沒有揭示的情節。故事每個重要轉折點小說裡都不解釋。小村的妻子為什麼會看了地震的報導，就決定離開小村？讓小村離開東京去到北海道釧路的理由，同事佐佐木託他帶去的小盒子，裡面裝了什麼？為什麼在佐佐木的妹妹旁邊，會莫名其妙多了一個叫島尾惠子的女孩？我們通通都不知道。因為村上都沒有告訴我們。

## 作者可以不說、不交代

作者可以這樣嗎？作者可以濫用敘事權力到這種地步嗎？把他應該知道，他明明知道的，與小說關係重大的事實，自作主張地隱瞞起來？

決定作者可以擁有多大權力，其實取決於讀者對作者有多強烈的信任。作者如果冒犯了讀者，使得讀者不再信任，他就失去了讀者。這才是最根本的作者／讀者關係。

村上春樹最神妙的本事，就在於掌握讀者的認同與信任。所以他可以在〈青蛙老弟，救東京〉裡，讓片桐一回到自己的

公寓房間，就發現有一隻身高兩公尺以上的巨大青蛙在等他。村上的讀者，不會看到這隻荒謬的青蛙就嗤之以鼻把書丟掉，他們信任村上，暫時中止常識判斷，跟隨片桐及青蛙進行一場既英勇又悲劇的東京保衛大作戰。

　　所以讀者也願意接受村上敘述中一再的隱瞞。藉由隱瞞、藉由不說出來，村上一方面個別化了地震的影響，讓受地震震駭的經驗具體呈現；另一方面得以在語言無法明白達致的深處，提醒所有人：不管有沒有親人朋友命喪地震中，我們其實都脫離不了地震的傷害，地震改變了我們生命中某種感受某種習慣，這發生了的事就已經發生了，無法否認也無法復原，因而真是「太殘酷了」。

# 自由的追求與逃避

## ──讀村上春樹的《約束的場所》

村上春樹所捕捉到的，就是奧姆教團原本許諾要讓教徒們獲得
自我與自由，然而最後卻比誰都更殘酷更徹底地剝奪了他們的
自我與自由，這樣的一場背叛悲劇。

　　一九九五年三月，日本東京爆發驚人的「地下鐵沙林毒事
件」，整整兩年後，村上春樹採訪了六十二位受害者，排比他們
的證言，出版了《地下鐵事件》。完成《地下鐵事件》後，村上
春樹接著又進行了對事件凶手──奧姆教的採訪，一共訪問了
八位曾經加入奧姆教團的人，把他們的自白描述，也編集起
來，就成了這本《約束的場所》。

　　從形式上看，我們可能會對這本書作出兩個重要的預設判
斷。第一是這樣一本書，它的內容主軸是對奧姆教的認識與理
解。奧姆教的存在與運作，是個既存的事實，尤其村上春樹採
取了忠實記錄這些奧姆教徒思想、意見的方式，在這裡面，既
沒有了可供小說家虛構揮灑的空間，也沒有了小說家介入參與
改造內容的機會，所以這樣一本書，我們可能最難找到村上春

樹的個人色彩。對於那些因為著迷於村上春樹獨特文字風格及神祕憊懶世界觀人生觀的讀者們，尤其是不在東京不在日本沒有親歷過地下鐵事件衝擊的台灣讀者，恐怕很難對這本書產生強烈、緊密的認同。

第二項判斷則是從前一本《地下鐵事件》延續下來，我們預期這本書裡的村上會節制自抑地扮演聆聽者與記錄者的角色，而盡職的聆聽與記錄，前提條件就是必須懸止自己的價值批判。我們會以為：村上將讓奧姆教徒自己發言，村上不表明也不發表自己對他們所作所為的看法。

### 「地對地」的觀點

從淺層表面看，這兩項判斷不能算錯。村上春樹在〈前言〉裡，就很誠懇地說：「我的工作是聽取人們的談話，將所談的話盡可能化為容易閱讀的文章。」「深入去分析對方精神的細部，乃至對他們立場的倫理，或理論的正當性加以種種評斷，並不是這次採訪的目的。有關更深入的宗教論點，或社會意義的追究，我希望能在別的地方由各個領域的專家去評論。那樣應該會比較確實。和這成為一種對比，我在這裡想要試著提出的，畢竟是從『地對地』觀點所看到的他們的姿態。」

換句話說，村上小心翼翼地不讓自己擺出高人一等的姿態。不讓自己流露出「你們怎麼會那麼壞那麼邪惡」的高姿態；也不讓自己流露出「你們怎麼那麼笨那麼蠢，如此荒謬的事竟然也會相信」的高姿態。不管是哪一種高姿態，無疑都會

《約束的場所》
村上春樹／著
時報文化公司

喪失「地對地」的視角，也就看不到村上想要揭露的奧姆教的真相了。

畢竟，村上春樹之所以脫離小說家的身分，陸續去採訪沙林毒事件的受害者及奧姆教徒，不正是因為日本的媒體、知識界，找不到「地對地」的觀點？在重大事件產生的迫切感影響下，在習慣性的傲慢態度支配下，別人都在還沒弄清楚事實、感受之前，就先急著要解釋要評斷了。村上對這樣的現象深感困惑與不滿。

不管在《地下鐵事件》或是《約束的場所》書裡，我們都看到過受訪者表示：「像今天這樣能好好聽我們說話的採訪，以前就從來沒有過。」證明了村上春樹的確認真做到了「地對地」的謙虛體諒的承諾，要不然也不可能從受害者與奧姆教徒那裡，挖掘出那麼多深入而深刻的內容。

不過藏在這樣表層底下，在《約束的場所》中被彰顯出來，大放異彩，進而改變了整本書性質與意義的，是這種「地對地」角度的另外一種可能性。

## 村上與奧姆教徒間的共同處

當村上春樹以「地對地」的態度平等接近這些奧姆教徒時，他得到了一個一般日本人幾乎不可能具備的問題意識。其

他人在面對奧姆教徒恐怖而邪惡的罪行時，基本反應除了由上而下道德位階的輕視與鄙薄之外，就是設定這群人和自己的純然異質性。大部分的日本人無法接受奧姆教徒在麻原彰晃指使下到地下鐵散放沙林毒濫殺濫傷無辜的罪責，因而連帶覺得如果發現這些人和自己竟然有任何相似雷同的地方，彷彿自己的生命都會被那不可原諒不可逼視的邪惡所污染侮辱了。

所以他們看這些人，只會看到和自己最不一樣的部分，壞的部分。用這種眼光看去，爲了保護自己不至於被牽連被污染，奧姆教徒非得是一群怪物不可。

然而從「地對地」出發的村上春樹，卻很快感受、並且承認了自己與這些奧姆教徒們的相似處、相通處。用他自己的話說：「我和他們促膝交談之間，不得不深深感覺到小說家寫小說這種行爲，和他們希求於宗教的行爲之間，有一種難以消除的類似共同點存在。其中有非常相似的東西。這確實是眞的。」

這是個了不起的突破。村上春樹竟然在奧姆教徒，這些其他日本人避之唯恐不及的怪物身上，看到和自己的相似性。而且相似的源頭，不是任何瑣碎無聊的行爲，是雙方都視爲生命當中意義創造的核心力量——奧姆教徒的宗教追求，以及村上春樹的小說寫作。

從這個突破開始，《約束的場所》於是有了一個潛藏貫串在各章零星生命故事底下的主題主調。更重要的，村上春樹先承認了自己與他們的相同處，反而才能準確地察覺出，自己和他們最關鍵的歧異點。

村上春樹發現：自己和這些奧姆教教徒，同樣感受到與日

本這個高度集體化社會，如此格格不入。日本，尤其是以前的日本，存在著強大的「多數機制」，用各種顯性或隱性的獎懲手段，逼迫在那個社會裡成長的個人，接受多數價值、多數意見。「多數機制」強大罩頂的情況下，可以想見，作爲「少數」，不願或無法融入多數群體的人，命運就很淒慘、坎坷了。

在奧姆教徒身上，村上春樹看到了自己青春期與社會「多數機制」衝突、齟齬的過去。這當然得要歸功於村上認眞執行了「地對地」的採訪原則，以及他作爲小說家對個體的尊重與好奇，他總是先從受訪者的身世背景耐心問起，才能發掘出別人和「多數機制」的不愉快經驗。

## 逃避與追尋

村上顯然認爲，奧姆教徒會出家投身在教團裡，一個重要因素是，他們的自我無法在既有的家庭、社會組構下獲得伸張。奧姆教徒們在教團裡找到的，對他們具有最大吸引力的，就是他們遇見了其他同樣不能忍受、不能適應「多數機制」的人。原本在「多數機制」逼擠下，覺得自己如此孤單，必須孤零零忍耐周遭歧視、指責的眼光，而且幾幾乎相信了：自己是怪物，無法融入多數，都是自己的過錯；這樣的人竟然有機會遇到其他「夥伴」，心理上的溫暖與解放，可想而知。

當村上說：「小說家寫小說這種行爲，和他們希求於宗教的行爲之間，有一種難以消除的類似共同點存在」時，他也就揭示了他自己小說經驗的主要核心。小說之於村上，也是一種

逃避與追尋的辯證統一。追尋真實自我可以發揮發展的機會，也就意謂著必須逃離日本教育體制以及日本集體社會價值的控制。突然之間，我們更清楚明瞭了：剛出道剛成名的那幾年，村上春樹為什麼反覆地強調，他幾乎不曾受到日本文學，尤其日本小說傳統的影響，他對這個傳統極度陌生；我們也更清楚明瞭了，為什麼有很多年村上一直拒絕被視為「很日本」的作家，也對別人在他作品裡看到找到的「日本性」，表示高度懷疑與保留。

村上的文學路數，的確是取徑歐美。他對於歐美文學典故的熟悉程度，遠高過任何日本事物。他流暢進出西方名詞的風格，編造出了一種獨特的異國情調，也就構成了早期作品風靡日本的主要條件。然而在《約束的場所》裡，村上春樹才進一步檢討、揭露藏在這種風格背後的存在性理由：他是為了擺脫日本集體性才遁入小說閱讀與寫作的世界的，難怪會對牽扯到日本的質素，如此避之唯恐不及。換言之，如果小說還寫出了「日本味道」的話，對村上而言，就成了最大的失敗與挫折，表示必須要靠拒斥逃避日本多數價值才會浮現的村上自我，沒有真正建立起來。

這一點，挑戰、改變了我們前面提到的第一個形式評斷。《約束的場所》以奧姆教徒為主角，卻意外地表露了最多村上春樹性格與寫作的內在線索。

## 追尋反而製造了逃避

《約束的場所》揭露的還不只這些。正因為也經歷了同樣受拘束受壓迫到急於撞出自我與自由的生命過程，村上春樹無可避免察覺到這些奧姆教徒的巨大矛盾。在訪問狩野浩之時，村上說：「因為我是小說家，所以跟你相反，我認為無法測定的東西是最重要的。」訪問稻葉光治時，村上講得更明白了：「我想知道的是，在奧姆真理教這個宗教的教義中所謂自己到底是設定在什麼樣的位置？在修行中到底把自己託付給師父到什麼程度，在什麼範圍內是由自己個人在管理的？我跟你們談過話之後，這方面還沒有弄得很清楚。」

比對書中其他內容，我們可以感受到，「這方面」是不可能弄得清楚的，因為整個奧姆教最大的問題，至少從村上的角度看，就出在這裡。

這些人來到奧姆教團，原本是為了要尋找自我，伸張他們在世間「多數機制」下沒有辦法開拓的自由。可是一旦進入奧姆教團裡，他們卻服從於教主麻原彰晃的意志下，一切聽從教主的，反而更沒有自我與自由。這的確是個最大的矛盾。

如何解釋這個矛盾的產生與維持存在？村上春樹雖然沒有明講，我們倒不難從書裡的八篇告白裡，得到答案。

答案一是，奧姆教對他們而言，應該發揮了一種置換替代的自由的功能。他們自己個人無法取得的自由，就投射在奧姆教團上，奧姆教團對抗日本社會所取得的自由，於是就被他們轉化內化為自己的自由追求成就。他們在這裡面得到雖曲折卻

實質的滿足。

從這曲折投射中，我們也可以看出：這些會參加奧姆教、留在教團裡的人，對於靠自己的力量對抗社會、對抗「多數機制」，其實是缺乏信心的。他們不願屈服於「多數機制」之下，但他們又沒有勇氣試著去做個孤單的少數。奧姆教給了他們另一個選擇——參加一個集結了許多同樣適應不良的人，靠這個團體的力量，來爭取自我與自由。

然而奧姆教本身形成另外一個「集體」。更嚴重的是，追求自我與自由一旦投射轉折，很容易就掉入另一種威權的陷阱，到最後，奧姆教徒錯覺：如果代表、象徵奧姆教的教主麻原彰晃獲得了不受社會「多數機制」管轄的自由與自我，那麼他們自己也就分享了這種自由的成就與榮光。如此錯覺下，麻原的行為愈古怪愈任性，反而愈能鞏固其教主地位與重要性。

我們還可以得到的第二個答案，則是：即使教徒們開始感受到教團裡的異常情況，因而不安因而懷疑，他們也很難下定決心來脫離奧姆教團。他們無處可去。在教團外面，是他們早就認識、早就無法忍受、讓他們飽嘗折磨的由「多數機制」掌控的社會。那個社會，他們格格不入；那個社會的主流不接納他們，總是給他們青白眼。留在教團裡，至少周遭互動的還是同樣被社會多數拋擲出來的畸零受害者。

## 奧姆教的催眠效應

他們因為懼怕那個多數社會，而離不開奧姆教團。因為離

不開，也就半自願半強迫地接受各種合理化教團教主古怪、任性的說法。奧姆教團與麻原教主擁有兩項最強有力的合理化催眠說法。一種是「終末意識」，從十六世紀預言師諾斯特拉丹姆斯（Nostradamus）的著作裡找到：一九九九年整個世界即將滅亡的預示。如果一切都要走到終點，人還能做什麼？翻回來看：如果一切都要結束了，那麼能夠改變、挽救這個終末困境的努力，不管怎麼荒謬奇怪，都是可以接受的了。畢竟這是絕望中唯一的希望，畢竟反正一切終將毀滅，就算殺了人，被殺的人到終末日時本來也是要被徹底毀滅的。

還有另一種催眠力量來自「密宗金剛乘」（Tantra Vajrayana），這是佛教中最講究神祕法術，也最強調「方便」的一支。為了修行、為了達到「解脫」，有時候必須接受「方便」法門，在目的正確的前提下，手段的正當性也可獲得保證。

這兩種一般人不太可能輕易接受的合理化藉口，在教徒們不敢、不能離開教團的心理背景下，就被內化成為他們的自我價值。或者應該說：成為他們自我價值的廉價代替品，成為他們逃避自由、放棄自由的交代。

領悟了這一點，我們也就必須調整對《約束的場所》的第二項形式判斷。村上雖然「地對地」體貼傾聽了奧姆教徒的心聲，然而在記錄、呈現的同時，他也對他們進行了堅定而嚴厲的批判。

## 對奧姆教的三項批判

書中所收的和河合隼雄的對話錄裡，村上這樣說：

> 我想寫小說和追求宗教，重疊的部分相當大。……不過不
> 同的地方在於，……自己能夠自主地負起最後責任到什麼
> 地步呢？明白說，我們以作品的形式可以自己一個人承擔
> 下這個責任，不得不承擔，而他們終究必須委任於師父或
> 教義。簡單說這是決定性的差異。

這一差異，非同小可。以這決定性差異作起點，村上和河合進
而在他們的對話裡開展了至少三個更具普遍性意義的批判。第
一是批判奧姆教團及類似宗教對「惡」的概念。「把善與惡截
然分成兩邊，說這是善，這是惡，弄不好的話可能會很危險。
如果善要驅逐惡，那麼會變成善不管做什麼都沒關係。這是最
可怕的事情。」

第二個批判是奧姆教團及類似宗教所提供的「速成覺悟」。
不必經過長遠的思考與困惑掙扎，竟然就得到了超越性的眞
理。用河合隼雄的話來說是：「悟得太快的人，他們的悟往往
對別人沒有幫助。反而是那些經過一番苦難花了很長時間煩惱
『我爲什麼沒辦法悟呢？爲什麼只有我不行呢？』最後才悟的
人，往往比較能幫上別人，擁有相當煩惱的世界，依然能悟所
以才更有意義。」

這兩項批判合在一起，才產生了河合的另一個建議：「不

管組織也好家庭也好，我想某種程度還是要認真去思考要怎麼樣一面容納惡一面活下去，想一想該怎麼去表現，怎麼樣去包容下去。」

麻原彰晃就正站在這個具體世間建議的對面。他提供快速的救贖，同時提供給教徒自命為善來摒除、隔絕惡的一種傲慢姿態。在這個善惡分離、善來消滅惡或解救惡的故事裡，麻原教主自己就成了善的代言人，善的化身，以及善的權力使者。

村上與河合的第三項批判，正是：「麻原所提出故事的力量，已經超越他自己本身的力量。」「故事所擁有的影響力已經超過那個說故事者的影響力，使那說故事的人自己也成為故事的犧牲品。」

這三項批判，尖銳指出了奧姆教徒把責任推給教團教主，無法像小說家一樣自己承擔的真相。而這三項批判，也超越了對奧姆教與地下鐵沙林毒事件的分析，觸及了不同社會人類運用宗教權力時，基本的詐騙、墮落與腐化本質。

這本書書名《約束的場所》，其實是英文The place that was promised.的翻譯。村上春樹在扉頁引用了斯特蘭德（Mark Strand）的詩，最重要的應該是這幾句：「這是我睡著的時候，／人家承諾給我的地方。／可是當我醒來時卻又被剝奪了。」村上春樹所捕捉到的，就是奧姆教團原本許諾要讓教徒們獲得自我與自由，然而最後卻比誰都更殘酷更徹底地剝奪了他們的自我與自由，這樣的一場背叛悲劇。

# 童話背後的冷酷童年

—— 重讀安徒生的童話

> 安徒生的童話，其實不是講給其他小孩聽的，而是帶著憐惜與
> 怨懟，試著觸及自己一逝不返的童年，講給回憶中那個備極艱
> 苦的小安徒生聽的。一邊提供遲來的慰藉，一邊進行無奈的發
> 洩，這應該才是安徒生童話真正的性質吧。

現在大家講起安徒生（Hans Christian Andersen），想到的都
是童話故事。安徒生童話，尤其是最為膾炙人口的幾篇，幾乎
成了全世界兒童成長過程中的共同經驗與共同語言。像是被迪
士尼改編為卡通，現在又成為百老匯音樂劇、花式溜冰表演戲
碼的〈小美人魚〉；像是那無論什麼時候什麼地方總是能賺人
熱淚的〈賣火柴的女孩〉……

一八〇五年出生的安徒生，如果有機會看到他今天在全世
界享受的聲名，他應該一方面覺得高興且滿足，另一方面卻又
不免有些遺憾吧。

安徒生會高興會滿足，因為他一直都是個非常在意成名與
否的人，而且有很長一段時間中，他深刻地感受到作為一個丹

《安徒生童話故事》
安徒生／著
華文網·崇文館

麥人的不公平與悲哀。安徒生畢生只能以丹麥文寫作，可是懂丹麥文的人那麼少！丹麥以外的人，又有多少人會在意遠在北歐的小國，更不必說去注意到小國裡一位孜孜矻矻辛勤寫作的作家了！

## 熱衷於自我宣傳的安徒生

安徒生熱切於自我宣傳，尤其是努力讓自己和歐洲主流文化掛鉤，以擺脫因地處偏僻丹麥而遭到遺忘的不幸命運。他積極地拜會十九世紀歐洲的文化名流們，留下了相當驚人的記錄。他曾經拜訪、交往過的名流，包括了法國文豪雨果、巴爾扎克、大小仲馬，包括後來同樣以童話集出名的格林兄弟，包括德國詩人海涅，也包括了音樂界響亮的幾位巨匠：李斯特、孟德爾頌、舒曼、羅西尼和華格納等人。

從這些人留下來的回憶看來，他們對安徒生最深刻的印象，一個是他的堅持固執，他想認識一個人時，是完全不顧一切社交禮儀限制的（用更直截的形容詞，那就是他厚臉皮的程度）；另一個則是他奇醜無比的長相。

安徒生的堅持固執，讓人家無法拒絕，幫他打入了歐洲文化圈，可是有時也給他帶來了社交上的災難。最有名的是他和英國小說家狄更斯的故事。狄更斯本來是安徒生結交過的名流裡，最賞識他的才華，也對他最友善的。狄更斯甚至還邀請安

徒生到家裡小住。然而來到狄更斯家裡的安徒生，一住就忘了要走，住到第四個禮拜，連講究英國紳士儀節的狄更斯都受不了了。狄更斯留了一張紙條給安徒生，上面寫著：「你來我們家已經二十八天了，然而我和家人覺得你好像來了好多年！」安徒生不情不願地離開狄更斯家，當然他從此就失去了狄更斯這個朋友。

　　一百多年後（安徒生死於一八七五年），不但歐洲被安徒生征服了，整個世界都為他的童話故事所風靡。至少在小孩子的世界裡，安徒生的知名度遠高過當年把他趕出來的狄更斯。這點顯然會給安徒生帶來很大的安慰。

　　不過安慰中畢竟還是難掩失望與遺憾之情。遺憾在於，一百多年後人們只知道他的童話作品；失望在於，即使是童話作品，絕大部分的人讀到、聽到、看到的，都是經過各種程度改編後的成果，鮮少有人直接讀到安徒生當年寫出的原貌了。

　　安徒生寫作生涯，前後長達半世紀。其間他出版了三十六個劇本，六本長篇小說，好幾百首詩，還有六本遊記，除此之外，當然就是一百七十篇童話故事。可是到今天，除了童話故事以外，安徒生的其他作品，連在丹麥都絕版找不到了；與他同時期的歐洲作家，像前面提到的雨果、巴爾扎克、大小仲馬、狄更斯等人，他們產量比安徒生豐富，可是他們都有完整的著作全集問世流傳，唯獨安徒生……只聽說有他的「童話全集」，還沒看過有「大全集」。

## 傳奇性的文學生涯

安徒生的文學生涯其實甚具傳奇性，他一直到十七歲才有機會受正式的教育，在中學裡他的同學小他五、六歲，這樣度過了痛苦的四年。他在中學時代開始寫作（實際年齡已經超過二十歲了），一八二七年發表第一首作品，題名為〈垂死的孩子〉的詩。這首詩感動了許多人，在很短時間內，安徒生突然在丹麥文壇崛起。因為他的聲名來得太快太急，甚至有好事者造謠，說他其實是丹麥國王的私生子，要不然為什麼會這樣備受矚目、暴得大名？

安徒生在丹麥受歡迎的程度，也就使得他成為當時一般文評家最看不起、最愛攻擊的對象。一八三八年，一位二十五歲的年輕小鬼，出版了一本小冊子，小冊子裡面大部分的內容，就是對安徒生的抨擊。這位年輕人雄辯滔滔地指出：安徒生小說裡的主角都是些無用的悲觀分子，他們坐在那裡等著失敗降臨。為什麼？因為作者安徒生誤會了悲劇的真正意義。他以為人生中的挫折與失敗就是悲劇，卻不曉得真正的悲劇英雄必須奮力與命運掙扎，他們的悲劇在於力戰掙扎後仍然輸給了命運，而不是乖乖束手等待命運打擊，藉著挫折失敗來賺取讀者的同情。

這位在丹麥文壇初試啼聲就選擇拿安徒生來開刀的年輕人，就是日後成為北歐最有名的神學哲學家的齊克果（Soren Kierkegaard）。

齊克果的批評，安徒生看到了，而且很在意很受傷。大概

是因為齊克果打中了安徒生自知最弱的部分。約莫就是在讀到齊克果批評意見的同時，安徒生才開始寫「給孩子們聽的故事」。

並不是說齊克果直接刺激出了安徒生童話，歷史還沒那麼戲劇性。而是齊克果所處的那個對安徒生極為不友善的批評環境，給了安徒生很大的壓力，於是他選擇了以一種新的、面對不同讀者的文類，一方面發洩挫折，一方面尋找新靈感，一方面放鬆自己。

換句話說，安徒生沒把寫童話當作一件認真的事，更不可能預見有一天，童話會凌駕於他其他作品之上，成為他的代表。不，童話甚至凌駕了安徒生整個人的生活，安徒生就只是他的童話的作者，除此之外別無其他。

## 不像童話的安徒生童話

正因為安徒生亟需放鬆、休息，所以他寫的童話，有一種驚人的自由度。他使用的語言風格瑣碎、囉唆、幾乎完全不加剪裁；他選擇的題材充滿了任意隨性味道。

以那篇〈夜鶯〉為例吧。安徒生原作開頭的第一句話是：「你知道的，中國皇帝是個中國人，他周遭的每個人都是中國人。」這不是廢話嗎？的確，就是廢話，帶著傻氣的廢話。

接下來安徒生描述中國皇帝住的宮殿，全是用瓷器蓋起來的，大到沒有人知道究竟邊界在哪裡。有一天皇帝聽見最美妙的鳥叫聲，他太喜歡那聲音了，於是派人找到了那隻夜鶯，並

且小心地把牠養在皇宮裡⋯⋯

〈夜鶯〉故事情節在任何一本改寫的書裡都找得到。不過改寫後的版本，卻不見得都會留下安徒生原本一些誇張或諷刺性的描寫。

誇張的部分像安徒生描述夜鶯受寵時的情況：牠每天要出去蹓躂兩次，那陣仗既驚人又可笑。一共有十二個僕人，每個人拉著一條絲帶，絲帶綁在夜鶯的腳上，用這種方法去散步。

諷刺的部分就更多了，而且一來跟故事主幹不見得相關，二來小朋友們八成聽不懂，所以最常在改寫過程中被犧牲掉。例如安徒生寫到了一個宮廷裡出身最高貴的人，他高貴到別人如果敢跟他講話、如果更大膽到問他問題，他的回答永遠都只有一聲：「呸！」例如安徒生描述一位了不起的學者，為後來取代夜鶯成為國王新寵的日本機器鳥，寫了十二巨冊的研究。這部書有學問得不得了，中間充滿了最罕見最艱難的中國字，「每個人都說他們全讀了、全懂了，要不然別人會覺得他們是笨蛋。」

這樣的諷刺腔調，當然讓人想起〈國王的新衣〉。這個家喻戶曉的寓言故事裡，最後拆穿國王沒穿衣服事實的，是一個小孩。然而我們很清楚：最能欣賞這個故事，一百多年來一再引用、轉述這個故事的，顯然不是小孩，而是成人中的成人，對政治權力最最敏感的新聞記者與政治評論家。

## 意外流行的童話作品

安徒生的童話會變得那麼流行，真的有非常意外的成分，讓我們重申這個要點。安徒生童話裡老是夾雜著太多其實小孩不見得能懂的內容。就算是現在最多小孩熟悉認識的〈小美人魚〉，在安徒生的原著裡，不只是個深沉陰暗的悲劇，而且在故事後段還一步步進入關於死亡與永恆的艱難議題。

會有這樣的特質特色，除了安徒生以寫童話來發洩壓力，使得他不怎麼願意嚴格信守「為小孩而寫」的承諾規範之外，還有另外一個關鍵的因素：安徒生本來就不了解小孩，可能也不怎麼喜歡小孩。

終其一生，安徒生未曾娶妻，更遑論育養小孩了。他成為丹麥的國寶、成為丹麥文化象徵的一個代價是，他的一生被丹麥學者一代代反覆進行最細節的研究。一九九三年，丹麥的「安徒生中心」主任Johan de Mylius出版了安徒生的詳盡年表。詳盡到什麼程度呢？到他活在世上的每一天幾乎都有記錄！

這麼詳盡的記錄，揭露出了一些令人有點尷尬的事實。例如說，我們現在可以知道，安徒生不只是沒有結婚，很可能至死都還維持童子身，找不到和任何女性發生親密性關係的資料。而且在他寫作一百多篇童話的那些年裡，似乎也不曾有任何小孩出現在他生活裡，更別說環繞著他、做聽他講故事的聽眾了。

又例如說，雖然有許多關於安徒生的傳記資料，都大肆張揚他和林德（Jenny Lind）的戀情，尤其是好萊塢拍的由金凱利

主演的電影更是添油加醋，然而現實裡，兩人之間應該是「流水有意、落花無情」的單戀關係吧。

## 這些童話原來要說給誰聽？

這樣就解釋了安徒生故事裡，那麼「不兒童」的部分。然而對照安徒生的生平經歷，卻有另一個難題浮現出來：那我們該如何解釋為什麼安徒生會寫童話？為什麼他的童話，儘管有那麼多「不宜」內容，還是征服了那麼多小孩的心？

要解答這個問題，找來找去，恐怕只能到安徒生自己的童年際遇裡去挖掘了。我們發現，安徒生有著非常坎坷難堪的身世。他的祖父發了瘋，他的祖母年輕時候還曾經被抓進牢裡，因為連續生了太多個私生子私生女。安徒生有一個姑姑以經營妓院成名。

安徒生的父親是個窮銅匠，完全靠自學才能夠識字讀書。更慘的是，他父親三十四歲時就去世了，那年安徒生只有十一歲大。至於安徒生的媽媽，則是個未受教育的半文盲，而且非常非常迷信。安徒生童話集裡有一篇既悲哀又冷酷的故事，題目為〈她一無可取〉，竟然就是以他媽媽為模寫對象的！

光是這樣的基本條件，我們可以推測得出安徒生的童年不可能過得多好。事實是，安徒生的童年充滿了挫折與恐懼。尤其是對於貧窮的恐懼，以及來自太早遭受世間青白眼的挫折。

的確，安徒生童話最凸出的兩個主題，就是貧窮帶給小孩的痛苦，以及被誤會被視為異類的痛苦。前者的代表作當然是

〈賣火柴的女孩〉；後者呢？我們不會忘記〈小美人魚〉和〈醜小鴨〉。

而籠罩在這一切後面，最龐大的陰影，是那個勢利、虛偽的社會習俗。那個製造出「國王新衣」大謊言的權力機制。

安徒生的痛苦與痛恨，情眞意切，這點打動了許多大人。而他向自己悲慘冷酷童年召魂的語氣語法，則爲他爭取到了小孩本能、天眞的同情。安徒生的童話，其實不是講給其他小孩聽的，而是帶著憐惜與怨懟，試著觸及自己一逝不返的童年，講給回憶中那個備極艱苦的小安徒生聽的。一邊提供遲來的慰藉，一邊進行無奈的發洩，這應該才是安徒生童話眞正的性質吧。

正因爲安徒生作品的這種性質，儘管他後來名利雙收，很多人想起他，總覺得他是個窮困潦倒的可憐藝術家，一個雖被命運折磨卻還是不放棄希望，甚至貢獻最純粹純潔希望給世人的浪漫形象。

一八七四年，安徒生連續收到許多美國小孩的信件。和其他信件不同的，這些信裡都附上了小朋友們辛辛苦苦攢集下來的零用錢。幾乎沒有例外，他們都說感謝安徒生寫了這麼樣的故事讓他們讀，他們覺得應該幫助安徒生渡過難關。

根本就不缺錢的安徒生，竟然收到小朋友的零用金接濟，這實在太窘太糗了。安徒生後來才知道，原來是費城有一家報紙登了一篇與事實完全不符的報導，記者自己想當然耳描述了安徒生如何「貧病交加」，呼籲大家要伸出援手來。

啼笑皆非的安徒生只好寫信去更正。一方面謝謝所有小朋

友的熱情，另一方面試圖說明：不管這些故事留給人家什麼印象，真正的安徒生，其實過得一點也不悲慘。

晚年的安徒生，藉著彰顯童年安徒生的貧窮與不幸，脫離了貧窮與不幸。

一年之後，一八七五年，安徒生去世，享年七十歲。

# 「自戀書寫」中完成的自我
## ——重讀七等生的小說《思慕微微》

> 七等生整個寫作的主題主調正是將自己設定為認命接受傷害與
> 屈辱的一方，用退縮來換取肯定認同。這是他文學的精髓，也
> 正是憂鬱與困惑的終極來源。

七等生的《思慕微微》雖然被出版社劃歸為「小說類」，不過作者在〈序〉裡倒是明白地點出了「這是一本雜集」的事實，內中共收有「情書二題，小說二則，筆記三出」。

七等生早期小說，用虛構的情節人物，來抒發自己極其主觀、獨特的存在視野。不管是李龍第、亞茲別或身分更模糊的蘇君，他們都明顯地表現為七等生的潛意識化身，他們與他們所存在的環境，都絕非我們熟悉的現實，而是現實經過了一層夢或欲望的折射之後，映演在神話般普遍空間的景致。

## 超現實主義大師

從這個角度上看，七等生無疑是台灣戰後小說史上最傑出

《思慕微微》
七等生／著
台灣商務印書館

的超現實主義大師。不過在西方式的潛意識流轉中，七等生多加入了一種極其沉重的道德探索，或者應該說是探索道德而不可得的空虛悵惘。

換句話說，兩股對反的力量在七等生的小說裡交錯角力，才使得當年閱讀他的作品的人，如是迷疑無措。一邊是最個人最私密的夢幻般流離景象，混亂而自由，依循著自創的邏輯與秩序；另一邊卻是對於是非對錯絕對劃定的不斷暗示逗引。我們怎麼可能從個人的夢境，根本沒有現實公信依據的建構裡，推衍出什麼樣是非對錯的標準來？閱讀七等生早期的小說，我們無可避免這樣質疑著，可是質疑歸質疑，我們卻又無法否認七等生在不可能的情境下執著追求的認真嚴肅態度，甚至因其認真嚴肅而使我們連想幽默嘲諷兩句都有點困難。

從《耶穌的藝術》開始，七等生索性捨棄了小說虛構的外貌，轉而完全以自己所堅持的一種「純粹藝術家」、「純粹思想者」的身分，直接獨白說話。《譚郎的書信》、《兩種文體——阿平之死》都是這系列相繼的傑作。作者跳出來講話，講的還是許多無從定著的存在與道德問題。更奇特的是，這樣一種「真實肉聲」的寫法，竟然也沒有給作品帶來多一點的現實感。七等生對自己愈是慷慨坦白地曝陳，我們愈是發現：原來他的生活與現實就是若即若離的，或者應該說，他只選擇和某一種

曖昧複雜、介於最猥瑣與最崇高之間的生活，發生關係。因這樣的關係而憂鬱困惑著。他所有的追求，就是努力說服自己，其實已經找到了不需憂鬱不必困惑的解決之道，隨後卻又自己用更深的憂鬱、更濃的困惑，把這個答案毀棄。

宗教與愛情，這兩者正是猥瑣與崇高曖昧結合後最主要的產物。七等生因此從來不曾脫離過這兩個主題。雖然寫作的形式明顯改變，前後期的基本主題、基本關懷其實始終一致。不只如此，讀了七等生後期的獨白作品之後，我們會恍然明瞭，原來李龍第、亞茲別或蘇君或別人，本來就都是七等生自己的化身。七等生只虛構外在的事件環境，卻從來不曾虛構過角色思想與其所遭遇的道德情境。角色思想與道德情境都是七等生自己生活的內在現實。

## 最自我的作者

從這個脈絡回到《思慕微微》，我們其實就不必去計較這本書的「雜」。情書也好、小說也好、筆記也好，都是七等生的化身。對「菱仙」的告白也好、為曹又方的書寫的辯談注記也好，都是七等生藉以挖掘自我的工具罷了。《耶穌的藝術》裡，七等生就曾經把自己「變身」入耶穌的條件與精神裡，〈愛樂斯的傳說〉則是把柏拉圖的古典文本拉來「變聲」。七等生是最自我的作者，也因而他的作品其實最純粹最一致。

純粹、一致的作品，在閱讀上容易讓人疲累。覺得重複的情景、重複的語言不斷出現，尤其如果是已經對七等生作品很

熟悉的人，更難逃這種感覺。不過這基本上還是可以藉閱讀預期來調整的小問題。我們不能用「吸收資訊」的功利心態來讀七等生。閱讀七等生真正的享受是他利用文字所創造出的那種憂鬱與困惑的氣氛。這種氣氛和我們快節奏的生活現實相去太遠，因而不容易保持，是一離開閱讀就會被破壞侵蝕殆盡的易碎易腐寶物。所以一再重複的類似文字、情節，製造出讓憂鬱與困惑迴宕延續(lingering on)的效果，時間的拖遲，才能讓氣氛累積。

比較嚴重的問題，是純粹、一致的作品，每一個寫作的動作，都是一次「改造剝削」(appropriate)。用自己強大氾濫的主觀意識，把不同來源不同性格的知識、人物、事件，全都淹沒在統一的詮釋邏輯裡。

所以我們不能去計較七等生所呈現的耶穌或柏拉圖，到底能有多少神學、哲學與歷史上的正確性。我們也必須小心，不能把七等生心靈之鏡所折射返照出來的耶穌、柏拉圖或禪學或任何他引用的名人名言，接受為客觀的知識。

## 所有愛情都是自戀

另外一個閱讀上的提醒，則是要始終記得，七等生記錄的所有愛情，其實都是自戀。不只自戀，更要緊的是自憐。過去的七等生，以及七等生小說裡的主角，都一直強烈自覺著自己的邊緣地位與放逐命運，因而忍不住不斷地哀愁著自己、疼惜著自己。這正是他魅力的來源之一。替一整個時代覺得自己無

處著落、未被公平對待的年輕人們精確代言。到了《思慕微微》，我們發現七等生更多了一個進一步自憐的理由，那就是他身心老化的宿命，以及在宿命中依舊想要追求年輕戀情的苦痛。

　　沒有一個人比七等生自戀自憐得更深刻更動人了。不過相對地，為他所戀的對象，以及戀情當中所發生的真實事件，就被無情地犧牲了。在這種「自戀書寫」裡，愛情的對方總是面目模糊的。愛情的對方隱形著、沉默著，靜靜聽著自憐的戀人滔滔不絕的愛情說教。沒有比這個更不公平的關係了。

　　不只如此，為了淋漓地表達自憐，七等生甚至也很少去記錄愛情過程中真正發生的事。書寫的內在，包裹著一種強烈潔癖，以及潔癖帶來的逃避。不願意讓現實真實有喜有淚有苦有樂的「動作發生」(happenings)，破壞了他所苦心經營的完整氣氛。而逃避真實，進而又可以保護作者維持著自憐的姿態，同時維持著那個不公平的說教關係。

　　七等生曾在情書裡對愛人說：「如果我使用了虛偽故意表現出一種寬厚風度以贏得你的青睞來隱藏我的私心，我要你以你的感覺去評斷它……」事實上，七等生整個寫作的主題主調正是將自己設定為認命接受傷害與屈辱的一方，用退縮來換取肯定認同。這是他文學的精髓，也正是憂鬱與困惑的終極來源。

## 沉重的文學

　　這樣的文學是沉重的。沉重得甚至沒有留一點點讓人可以調侃、促狹的空間。讀完《思慕微微》，我們會益發懷念起前面一本《兩種文體——阿平之死》。因為《兩種文體》裡，七等生有一個真實的對手，那就是和七等生同樣複雜、同樣自我、同樣自戀自憐的「阿平」——三毛。他們兩人看似真誠剖白的書信來往，其實充滿了可供不斷挖掘的機心痕跡——生命哲學上的、愛情上的，以及文學上的種種機心。

　　「菱仙」當然不是三毛。她只能無言地成為七等生在五十歲後的中年自我完成的機心工具。我們仍然為七等生《思慕微微》中展現的那一層存在思辨肯定喝采，不過也忍不住為面目模糊的「菱仙」歎息抱屈。

# 第二輯

# 誰是奧薩瑪‧賓拉登？

## ——讀《神學士——歐瑪爾與賓‧拉登的「全球聖戰」》

奧薩瑪‧賓拉登對美國的仇恨一部分來自不願看到美國介入阿
拉伯半島、討厭美國支持以色列用殘酷手段對付巴勒斯坦人，
然而還有另一部分，來自於他對自己家族因為富裕，因為與西
方做生意而蛻變轉化的不能接受。

「九一一」事件發生之後，在華盛頓頗為有名的卡萊爾集團
（Carlyle Group）悄悄進行了一次快速的資金重組。這個集團有
名的原因之一，就在集團的管理階層名單上充滿了政壇的大人
物。包括美國前任總統老布希、前任國務卿貝克、英國前首相
梅傑，都跟這個集團關係密切。這個集團為什麼需要維持如此
高層的政治關係呢？理由並不意外，因為國防軍火工業生意，
是卡萊爾集團的主要業務。

為什麼會有資金重組？集團的一個重要股東賣掉了手中所
有的持股，抽走了兩百五十萬美元左右的資金，這個股東就是
賓拉登家族。

這真的太尷尬了。美國總統信誓旦旦對奧薩瑪‧賓拉登宣

戰，然而他爸爸，另外一位發動過戰爭的總統，竟然透過企業關係，和奧薩瑪‧賓拉登的家人一起做生意。顯然政治上的動機，為了避免陷老布希於不義，惹來閒言閒語，是這次撤資事件背後的主因。

## 親美、親西方的賓拉登家庭

這件事告訴了我們，其實賓拉登家族，非但不是美國的敵人，他們和美國和西方的互動聯繫，親密得很。

賓拉登家族幾乎是阿拉伯人中，西化美國化程度最高的一群人。舉個例子說吧，因為「九一一」而使得奧薩瑪‧賓拉登在全世界都聲名大噪，可是他的名字卻弄得各地的媒體頭痛得不得了。

到底應該怎樣稱呼這個人？我記得台灣的《壹週刊》在那段時間曾經出現過一個封面標題，斗大的字寫著「獵殺拉登」，引起了新聞界的紛紛竊笑。依照阿拉伯人命名的規則，奧薩瑪‧賓拉登名字的意思，應該是「拉登的兒子奧薩瑪」，阿拉伯人並沒有西方或中國習俗裡的「姓」，為了分辨這個奧薩瑪和別的奧薩瑪有什麼不同，就把爸爸的名字列在後面。

如果照這個規矩，「獵殺拉登」的對象，就不是「九一一」的禍首奧薩瑪‧賓拉登，而成了他爸爸了！獵殺他爸爸幹嘛?!

在台灣也有像《中國時報》這樣比較謹慎的媒體，為了怕犯下把「賓拉登」誤會為姓的錯誤，就一貫都用「奧薩瑪」來稱呼。這樣該對了吧？

《神學士──歐瑪爾與賓·拉登
的「全球聖戰」》
阿哈瑪·拉希德／著
新新聞文化公司

嗯，不完全對。因為奧薩瑪·賓拉登的爸爸，依命名原則裡假定的，應該叫拉登，然而他卻叫作穆罕默德。他的全名是Muhammad bin Oud bin Laden，意思是拉登的兒子Oud的兒子穆罕默德。所以拉登真正的身分，是穆罕默德的祖父，奧薩瑪的曾祖父。

那麼為什麼奧薩瑪的名字裡會出現其實是不符阿拉伯命名原則的「賓拉登」，讓人家誤以為拉登才是他爸爸呢？理由就是：由穆罕默德開始富強發展的這個家族，他們因為和西方世界作做意方便起見，採用了西方的慣例，把穆罕默德名字最後的一部分，乾脆轉成姓來用了。

所以現在奧薩瑪的家人們，早已經不管哪一代，都冠賓拉登在名字後面了。有調整得更徹底的，就把bin Laden改寫成Binladin，看起來十足就是西方姓氏的模樣。

## 龐大又富有的傳奇家庭

賓拉登這個家族甚具傳奇性。穆罕默德原本是去到沙烏地阿拉伯討生活的葉門勞工，他不只出身低賤而且是個文盲。不過穆罕默德具有工程上的獨特天分，獲得了沙烏地王室的賞識，又剛好趕上沙烏地阿拉伯因石油而快速致富的時機，於是

不只是鹹魚翻身，而且近乎一步登天。

一九六四年沙烏地新王就任，穆罕默德就取得了全國道路工程的承包權。在六○年代，這本來不算什麼了不起的大特權，因為在沙漠裡沙烏地全國其實沒幾條路，用得到道路在路上跑的汽車，加加也沒幾輛。

可是六○年代以降，沙烏地阿拉伯借助石油財富快速現代化，於是穆罕默德的角色越來越重要。一九七三年，另外一個更重要的工程承包權落在賓拉登家族身上，那就是聖地麥加和麥地那的重建工程。

這項工程有多龐大呢？從一九七三年到今天，二十八年間工程一直在進行，前前後後累計的工程款超過了一百七十億美金。更驚人更恐怖的是，誰都不知道工程什麼時候才會結束，也沒人知道要再投入多少經費。

在這過程中，光是聖地重建上，賓拉登家族到底賺了多少錢，坦白說大概沒有人算得出來。這種天文數字的利潤，解釋了為什麼作為賓拉登家族中的一員，奧薩瑪能夠擁有這麼可觀的資源來挹注、協助恐怖活動。

賓拉登家族不只有錢，而且繁衍龐大。在短短三十年間，穆罕默德‧賓拉登的家族成員迅速增加到六百多人。穆罕默德自己就有過十一位妻子，他遵守阿拉伯習俗的方式，是維持任何一段時間內，他的正式妻子人數不超過四個。

奧薩瑪‧賓拉登是其中一位妻子生下的獨子。從他是獨子這件事實，就可以猜得出來他媽媽的受寵程度。媽媽在家庭裡的地位不高，當然對奧薩瑪的成長過程有所影響。在其他同父

異母兄弟面前，他必須表現得更積極或更獨特，才能得到尊敬與注意。

這樣的經驗部分說明了奧薩瑪在家族企業內發展時惹起的困擾。家族成員批評他野心太大，想要隻手控制家族事業的決策，奧薩瑪終於遭到其他兄弟的聯手抵制。

他的成長經驗與心理結構，也部分解釋了為什麼後來他會選擇成為一位激進的伊斯蘭基本教義派，而且是個強烈反美的大阿拉伯主義者。一九九八年，奧薩瑪領導的凱達基地組織，甚至發出了一分宗教諭令，要求：「殺死美國人及其盟友，不論是平民或軍人都格殺勿論。這是每個伊斯蘭教徒的責任，不管身處任何國家，只要有可能，就必須奉行諭令。」

這分諭令中要求殺害的「美國人及其盟友」，就包括了許多賓拉登家族成員。因為在富強繁榮壯大的過程中，賓拉登家族同時也高度西化，甚至高度美國化。賓拉登家族在歐美有非常多像卡萊爾集團那樣的投資夥伴。

## 怎樣的人有能力策畫執行「九一一」？

奧薩瑪‧賓拉登自己也不可能完全不受家族這種西方化、美國化發展的影響。事實上，我們甚至可以說，如果沒有賓拉登家族這樣的背景，其他阿拉伯伊斯蘭教激進基本教義派，不見得設計得出、執行得了「九一一」這樣大型、先進的恐怖計畫。

「九一一」行動的一個關鍵，是飛航技術。事件剛發生時，

大家都對恐怖行動中操控民航飛機準確撞上紐約世貿中心和五角大廈的技術，感到不可置信。然而我們如果明瞭奧薩瑪‧賓拉登家族背景的話，就會知道這種攻擊方式正是奧薩瑪涉案主導最清楚的印記。

奧薩瑪的父親，賓拉登家族的大家長穆罕默德一九六八年英年早逝，就是死在一次私人飛機墜落意外中。穆罕默德死後，事業繼承人是長子沙倫（Salem）。二十年後，一九八八年時，沙倫又在另一次意外中喪命，當時他自己駕駛一架實驗性的超輕型飛機，在航行中飛機被複雜的電線扯住了，因為飛機太輕，這樣的意外就讓飛機墜落了。

賓拉登家族裡有許多人都自己開私人飛機，他們對飛行抱持著一股特殊的狂熱喜好。奧薩瑪的一位妹夫，甚至擁有一家瑞士籍的小型航空公司。賓拉登家族成員學習飛行最常上的訓練中心，叫作「霍夫曼飛航學校」（Hoffman Aviation），這個訓練中心「九一一」後聲名大噪，因為FBI的調查顯示，駕駛民航機自殺式地撞向世貿中心和五角大廈的兩名恐怖分子，都是在這個學校習得技術的。

這就是為什麼「九一一」事件剛發生，第一時間內我在《新新聞》上寫的報導，直接就說「所有矛頭統統指向賓拉登」。奧薩瑪‧賓拉登對美國而言格外頭痛，除了他曾經和美國中情局合作的那段不名譽歷史之外，更重要的是，奧薩瑪透過家族的影響，對於西方世界的價值與運作，遠比其他極端派恐怖分子來得熟悉。

我們不能低估存在於西方與阿拉伯世界間嚴重的文化差異

與陌生程度。阿拉伯人對美國的仇恨，有很大一部分來自不了解也不認同美國的民主與科技。在這樣的前提下，很多對美國宣戰的阿拉伯激進分子，根本不認識美國，更別說有能力滲透進入美國去搞這麼龐大的破壞了。

我們就以神學士政權裡的這些人為例吧。神學士的歐瑪爾被奧薩瑪奉為回教的最高共同領袖，然而不管是歐瑪爾的出身、經歷，或是他賴以統治的權力基礎、資源，都不足以讓他對他所反對的西方有真正的接觸，更提不到破壞了。把歐瑪爾放進美國，他一定馬上頭暈迷路，什麼事也做不出來。

奧薩瑪·賓拉登卻不同。他對美國的仇恨一部分來自不願看到美國介入阿拉伯半島、討厭美國支持以色列用殘酷手段對付巴勒斯坦人，然而還有另一部分，來自於他對自己家族因為富裕，因為與西方做生意而蛻變轉化的不能接受。

奧薩瑪·賓拉登的激烈態度，是以他自己的家族為對象的。他不懈的恐怖報復活動，讓賓拉登家族十分尷尬。整個賓拉登家族被迫在一九九四年發表正式聲明，表示與奧薩瑪斷絕關係。可是阿拉伯傳統中對家族的重視，尤其賓拉登家族其實才拓展到第二、第三代，彼此間的血緣紐帶還非常強烈緊密，因而賓拉登家族部分成員畢竟還是私下提供了奧薩瑪充裕的財務支援。

奧薩瑪的西方知識，協助他策畫異於過去伊斯蘭基本教義派的攻擊、破壞策略，才出現了「九一一」這樣空前驚人的事件。

## 中亞「大競逐」

　　為什麼多說了這些關於奧薩瑪與賓拉登家族的事呢？因為這部分是拉希德寫的這本《神學士》最少著墨、漏掉了的一部分。這樣的遺漏，是有道理的。拉希德，如封面裡頁介紹的，是採訪中亞新聞長達二十一年的資深記者，而且他是個巴基斯坦人。他這樣的背景，使得他對沙烏地阿拉伯、在沙烏地阿拉伯崛起的賓拉登，不是那麼關心，不是那麼熟悉。

　　不過同樣的背景，卻保證了拉希德是報導解釋神學士崛起經過的最佳人選。拉希德對中亞新聞的全面掌握，因而得以提出「新大競逐」（New Great Game）的概念，「地勢封閉的中亞蘊藏大量的石油和天然氣，是目前世界上最後一片尚未開採的儲備能源，而這個區域衝突的核心也正是這些油源的爭戰。周邊國家與西方石油公司，為了誰能建造那些將能源輸往歐洲與亞洲市場的油管，而爭吵不休。這些競爭結果形成了一個新的『大競逐』——十九世紀為了掌握和控制中亞與阿富汗，結果在俄羅斯與英國之間產生大競逐的再版。」

　　在新的大競逐過程中，巴基斯坦深深介入，介入的方式，就是支持神學士政權。神學士的發起者與領導人，有很多是在巴基斯坦境內的伊斯蘭神學校受教育的。神學士奪權過程中幾經波折，提供他們最多人力財力支援的，也是巴基斯坦。沒有巴基斯坦，根本就不會有今天的阿富汗神學士政權。

　　巴基斯坦人拉希德取得了打入神學士政權內部的先天優勢。他對神學士的性質、領導人的個性的認識報導，到達了其

他西方記者不可能到達的高度。

　　拉希德這本書英文本二〇〇〇年出版，當時阿富汗還是一個極為冷門的題材。沒想到「九一一」突如其來，於是這本唯一專業正確記錄神學士來龍去脈的書，隨而翻身成了世界級的暢銷書，光是在美國一下子就賣出了幾十萬本。

　　不過拉希德寫作的認真嚴肅態度，書中資料之詳細綿密，卻反而保證了這本書雖然藉著「九一一」新聞熱潮，進入許多人家裡，不過真正能耐著性子、下工夫把這本書讀完的人，恐怕比例不會太高。

　　感覺到必須認識神學士，但是又實在沒辦法讀全書的人，可能會抱持著一種「慢慢再讀」的想法。不過世局的發展快到神學士竟然變成歷史名詞了。在美國強大軍事壓力下，神學士已經面臨了土崩瓦解的命運句點。

　　如果神學士真的消失了，拉希德這本書大概就永遠被打入冷宮了。如果是這樣，那麼許多來不及讀完全書的讀者就不會有機會知道：其實這樣的下場，在拉希德的書中已經多少預示了。在拉希德筆下，神學士是靠打擊阿富汗各地的土紳劣豪崛起的，然而他們取得的權力中，牽扯了太多國際及族群的複雜變數。更麻煩的是，他們堅持的激進伊斯蘭宗教禁令的作法，不但在《可蘭經》裡找不到依據、在其他伊斯蘭國家裡找不到類似例證，而且在阿富汗得不到普遍民心支持。

　　換句話說，拉希德書中早已提醒了我們，國際勢力的代理人戰爭架構如果有重大改變，尤其是巴基斯坦對神學士的支持無法持續，那麼神學士根本就找不到可以維護政權的其他有利

因素了！

　　眼看神學士起高樓、眼看神學士樓塌了，現在留下來的問題剩下：那麼奧薩瑪‧賓拉登呢？他的出路與下場又是什麼？

# 文明區分不等於文明衝突

## ——重讀杭亭頓的《文明衝突與世界秩序的重建》

中國在一九七九年改革開放之後，就一步步被吸納進西方經貿體系裡，有了越來越深的參與。經貿的繁複供給需求互動，給了參與其間的人積極認識了解彼此的強大市場誘因。所以中國與西方，比較不會出現衝突式的文明區分運作。

東亞，尤其是中國，隨著經濟起飛水漲船高的自信心，是個事實。這分自信心在最近幾年以強調「東亞獨特價值」的形式來表現，也是事實。杭亭頓書中凸顯了新加坡李光耀的轉變，作為這波潮流最具代表性的例證，那也是事實。

的確，李光耀領導人民行動黨取得政權、追求獨立、繁榮經濟的過程中，他具備的最大資產，是高度西化的出身背景。他能夠和西方強權充分溝通，他一眼就看懂了西方最新資本主義市場遊戲，所以他能替新加坡這個城市國家，找到一個準確而精巧的世界體系定位，藉此不只維護了安全和平，還快速累積財富。

的確，愈到晚近、年紀愈大，李光耀愈是回頭強調儒家文

化與東亞價值。早年強硬地關閉南洋大學，拒絕在教育體系中
保留中國傳統因素，以求和中國劃清界線的李光耀，到了八〇
年代之後，卻大逆轉以國家的力量去提倡儒家，利用一切可能
的國際論壇曝光機會，大聲疾呼「東亞價值」的重要性。

## 儒家文明挑戰西方？

這些都是事實。不過杭亭頓將這些事實解釋為，以中國為
中心的儒家文明，在二十世紀末興起，到二十一世紀將會演變
為和美國、西歐雙中心的西方文明，發生嚴重衝突的趨勢，卻
大有商榷的餘地。

拿與「九一一」幾乎同時發生的另一件事來說明吧。「九
一一」恐怖攻擊發生在中國加入世貿組織（WTO）的最終申請
文件審查會議召開的前夕。這個關係重大的會議，在「九一一」
的陰影籠罩下，立即被迫停開。在當時的氣氛下，許多人擔心
中國入會將因此平添許多不可預期的變數，搞不好讓已經延宕
許久的中國入會案，再度遙遙無期地拖下去。

中國無法參加關稅暨貿易總協定（GATT）、無法參加
WTO，十幾年拖下來，許多情勢出現了大變化。一個最關鍵的
變化，有部分觀察家認為，就是中國的經濟實力已經獲得了基
本證明，中國對外的經貿網絡也已經初步成形，中國加入WTO
的動機顯然在快速下降中。依目前的形勢，慢慢變成了不再是
中國需要WTO，而是WTO需要中國。沒有中國參與運作的
WTO，必然會面臨許多在管理全球貿易行為上的大漏洞。

《文明衝突與世界秩序的重建》
杭亭頓／著
聯經出版公司

這種形勢在二〇〇一年又加上了短期因素的加碼影響。二〇〇〇年四月那斯達克崩盤，宣告美國十年的經濟繁榮告一段落，整個世界景氣都連帶受到了嚴重打擊。在主要工業國加上依賴這些工業國為市場出口的區域，全都手忙腳亂地應付衰退、蕭條時，只有中國一枝獨秀，繼續保持高成長率。

沒有參與WTO的中國，都還可以有這樣的成長表現，那她會那麼在意是否加入WTO，什麼時間加入WTO嗎？這是很多人看到「九一一」在時機上連帶衝擊到中國入會狀況時，心裡產生的疑慮。

事實證明，如此擔心的人都過慮了。即使在「九一一」的兵荒馬亂下，中國還是很快地和WTO安排了重啟入會申請步驟，只延遲了一個星期，就順利讓入會事宜全部拍板定案。

再下來相關國際事務的發展，也都和杭亭頓的分析、預測大相逕庭。中國在中亞有強烈的利益考量，也有長遠的地緣政治關係，「九一一」迫使美國在反恐行動上必須爭取中國的諒解與合作，於是原本布希總統上台後，將中國從「戰略夥伴」「降級」成為「戰略競爭者」的定位，非調整不可。

不管國內國際情勢如何緊繃，布希總統還是立刻在九月下旬清楚表示一定會出席在上海召開的亞太經合會（APEC）非正式領袖會議，其中一個重要的理由就是他必須抓住這個機會，

當面和中國領導人溝通協商。

## 中國進一步走向西方

而中國在這一連串變化中的表現，我們完全看不出有衝突、對抗的跡象。相反地，我們看到的是中國更進一步熟練由西方文明建構起來的國際規範，中國與西方的關係非但沒有變得緊張，甚至還越走越親密。

中國當然不是因為沒有自信才靠近西方的，可是中國也沒有因為自信、因為強調文化的獨特性而升高與西方之間的衝突。

這讓我們看到一件重要的區分，存在於伊斯蘭文明與中國文明對待西方的態度上，那就是文明區分並不等同於文明衝突。伊斯蘭文明和中國文明，相對於二十世紀西方強大霸權籠罩，的確都出現了文明重新定位的動力。文明重新定位最核心的概念，當然就是相應於西方文明，強調自己文明的不同處、獨特性。這股文明區分的要求，同時存在於伊斯蘭文明及中國文明的新動向裡。

簡單回顧一下中國面對西方，試圖建立文明自信的歷程，我們會更清楚這波文明區分的特點。在受到西方船堅炮利的直接衝擊下，中國人最早努力挽回面子的作法，是去強調今天西方所擁有的技術、思想、制度，其實中國老早就有了。再進一步，就轉而強調中國向西方學習「迎頭趕上」的能力。發展到最顛峰，就出現了共產黨的意識形態了。

不管在俄國或在中國，馬克思主義、共產主義能夠風靡那麼多人，都是因為它們是西方的、舶來的，然而同時又是西方本身都還沒有建構完成的想法。馬克思主義、共產主義具備最強說服力的地方，在於信仰者可以同時顯得如此西化、進步，卻又超越了西方。同時是西方又是西方的超越。

可是這些階段，都是以西方作為近乎絕對的評斷標準，拿來衡量自身文明的價值，其骨子裡畢竟是一種文明混同的傾向。

## 文明區分不必然走向文明衝突

杭亭頓看到了文明區分的大潮流，可是他卻把文明區分都當成了文明衝突。其實，文明衝突只是文明區分的表現形式之一，不是全部。

從這個脈絡看，那麼下一個必須認真對待的大問題就會是：在什麼樣的狀況下，文明區分會以文明衝突的形式表現呢？中國文明與伊斯蘭文明，為何會有這麼大的表現差距呢？

這個大問題，是比較文明與比較歷史應該認真研究的。如果就與現實直接相關的角度看，也許有幾個重點值得提出來討論。

重點一是中國文明並沒有那麼強烈的宗教性，相應的影響是中國社會也沒有那麼熱情的唯一真理的追求。在西方文明裡，宗教與科學會產生那麼激烈的對抗衝突，乃是因為兩者都宣稱掌握了唯一的真理，除我之外沒有、也不得存在其他真理。中國文明向來在這方面不講究不發達，所以才限制了整個

社會的科學研究精神，但也因此不會出現為了唯一真理而跟人家拚個你死我活的集體情緒。

重點二在於中國和伊斯蘭與西方發生關係的模式很不一樣。伊斯蘭文明得到自信心能夠與西方對峙，因為他們據占了地球上主要的石油生產區。長期以來，他們的財富來自石油，他們跟西方的關係也是靠石油買賣建立的。在這種結構下，西方的生活、西方的價值，非常難突破滲透進伊斯蘭社會裡，雙方不得不打交道，可是打交道買賣石油卻完全無助於彼此了解，反而讓兩邊愈是充滿偏見與刻板印象。

中國在一九七九年改革開放之後，就一步步被吸納進西方經貿體系裡，有了越來越深的參與。其他被杭亭頓列入中國文明圈裡的國家，也都是如此。經貿的繁複供給需求互動，給了參與其間的人積極認識了解彼此的強大市場誘因。對中國人來說，越了解西方就越有機會賺到西方的錢；反過來看，越了解中國的西方人也會在競爭上勝人一籌，為何不做？

所以中國與西方，比較不會出現衝突式的文明區分運作。從這個例子反過來看，要消解伊斯蘭文明與西方文明間方興未艾的大衝突，避免這個衝突把整個世界帶向災難，我們應該可以有些比較明確的策略方向了吧！

# 平心靜氣讀小林善紀的《台灣論》

老台灣人史觀和小林善紀的新右派史觀，當然有很多相通的地方。最讓他們能夠立即感應的是對中國的反感。中國是他們建立自我認知的共同敵人，馬上就產生同仇敵愾的親和吸引。其次推著他們接近的，還有對老日本與殖民經驗的肯定。

小林善紀是個極度厭惡中國的人。他厭惡中國到不願意多用漢字。他在日本通行的姓名是沒有「善紀」這兩個字的。《台灣論》剛惹起風波時，就連日本通——《中國時報》東京特派員劉黎兒發的專訪稿裡，都搞不定這傢伙的名字，理由無他，因為他本來就沒有可以寫成漢字定型化的名字。純粹是為了出《台灣論》中譯本，才有用漢字寫的「小林善紀」四個字。

在《台灣論》書中的一個小角落（中譯本第七十一頁），我們也可以看到，小林的公司名稱一樣沒有漢字。每次跟人家要收據時都會被問到漢字怎麼寫，然而他卻堅持只用平假名，因為「平假名才是真正屬於日本的發明」。

《台灣論》全書當然有更多明白討厭中國，甚至仇視中國的

地方。我們甚至可以說，《台灣論》內容焦點固然是台灣，然而其真正的用心用意卻不在台灣，而是利用台灣來批判、修理中國以及日本的政治現狀。

## 極度討厭中國的小林善紀

小林善紀討厭中國，出於一種罪咎感的反動。大家常常喜歡拿日本和德國做比較，認為德國人為二次大戰侵略行為充滿真誠悔意，而日本卻老是閃閃躲躲不肯面對。這種比對上的刻板印象，有一定的道理，但絕對不是事實的全部。

事實是德國的新生代也會對於不斷向世界道歉，不斷被迫承認自己有罪，做任何事都被貼著「侵略前科犯」的標籤，感覺不耐，甚至厭煩。不然也就不會有「新納粹」風氣的點燃燎燒了。

事實是日本雖然愛面子，一直不肯以政府官方形式認錯道歉，他們社會內部的罪咎壓力卻始終存在。我們只要看戰前戰中曾經對戰爭、軍國主義提出質疑的知識分子，戰後都翻身成為大師就可明瞭。我們只要看戰後日本媒體的主流意見維持中間偏左，就可明瞭。

「恥感文化」極為發達的日本人，對待戰爭罪咎的方式，是希望盡量掩藏，盡快遺忘。也因此他們最怕面對記得這一切的人，他們也最怕人家在公開場合提起這段歷史讓他們難堪。

這種態度後來就制度化為日本對中國與對韓國的政策。日本願意對中國對韓國不斷讓步，來換取他們不要張揚戰爭責

《台灣論─新傲骨精神》
小林善紀／著
前衛出版社

任。然而中、韓兩國，尤其是中國，怎麼可能忘懷？怎麼可能不張揚？日本越想忘掉，這兩個國家就越要提醒日本，日本也就被迫在他們面前越低調越讓步。

這就是小林善紀這一代的成長背景，也是小林善紀那麼厭惡中國的原因。日本新生代右派最恨中國不斷提起日本的過去，以中國的受難將日本的過去對映對照成一頁大錯誤大災難。

## 在台灣意外找到「日本榮光」

從《戰爭論》到《台灣論》這一系列所謂「傲骨精神宣言」，我們可以清楚看出小林善紀的思想主軸。他痛恨中韓對戰爭責任的再三強調，使得日本二十世紀史變得全盤皆墨。在他的觀念裡，從殖民政策到大東亞共榮圈，日本做了很多好事，而這些眾多好事卻因為戰爭責任而被埋沒了，一來使得日本人面對自己的過去竟然毫無驕傲光榮可尋，二來更使得舊日促成日本崛起壯大的「日本精神」日益消蝕，無法再傳留繼承。

換句話說，這本來是日本右派與日本左派間，乃至日本右派與中國韓國間的一場大爭論，怎麼會扯到台灣來呢？在《戰爭論》中，小林善紀還沒有對台灣有什麼著墨，因為他還沒有遇到那一群由金美齡轉介的老台灣人，還沒有接觸到這群老台

灣人依據他們自己的經驗與現實處境，所建構起的一套日本殖民史觀。

老台灣人日本殖民史觀，有它自己的一套背景，和因應這個背景產生的一套邏輯。以李登輝為代表的那一代老台灣人，他們成長於日治末期，正值日本最積極努力同化台灣人，鼓勵台灣人擺脫被殖民者身分，上躋為「皇民」的時期。那也是日本在台灣幾十年的教育體制建構開花結果的時期，這一代的老台灣人幾乎是以日語為母語，他們的思想價值、他們的表達能力，都已不再成為和「內地」溝通，甚至和「內地」混同的障礙了。他們受日本殖民教育，然而他們夢想，而且深信自己可以，憑藉能力與努力和內地日本人平起平坐。

他們不像更前一代參與「文化協會」的台灣人，那麼深切感受到差別待遇。並不是說差別待遇不存在，而是他們看到了克服差別待遇、超越差別待遇的現實管道。他們沒有那麼深的被殖民者的自卑感，也就沒有那麼強烈對殖民者的憤慨。

所以戰爭結束後那幾年的局勢變化，對他們這一代人的打擊最深。他們原本藉以克服差別待遇、超越差別待遇的條件——純熟的日語和豐富的日本知識，竟然一轉而為讓他們飽受歧視與排擠的理由。表面上殖民時代結束了，然而實際上他們感受到比殖民時代更嚴重的差別待遇。殖民時代他們是二等公民，然而卻有大好機會可以為自己爭取到一等地位。戰爭結束後，尤其國民黨遷台後，他們還是二等公民，而且是看不到翻身機會的二等公民。

## 努力逆轉自卑的老台灣人

他們反倒是這個時候才生出自卑感與強烈憤慨。在威權的恐嚇與壓抑下，他們沒有機會也不敢表達憤慨，於是只能選擇用一種迂迴的方式治療自卑感、發洩憤慨。

他們必須睥睨壓抑他們的人，才能逆轉自卑。而他們可以拿來看不起上位者，進而建立自尊的標準，當然是取自於成長中的日本經驗。日治時期總督府的國民教育，標榜守法、衛生、工業化與現代化，他們剛好拿這套原則去檢驗來自中國的新統治者，藉而產生對這些新統治者的不屑。

更進一步，愈是隱性地反抗、拒斥新統治者，也就愈是強化，甚至絕對化了他們心目中的日本標準。嚴格說他們不是「媚日」，他們是利用將自己和一套理想化了的日本文化、日本標準附和、等同，艱苦建立在變動環境中飽受摧殘的自尊心。

小林善紀就是遇見了這群老台灣人，遇見了他們理想化了的日本殖民史觀，驚為天人，一拍即合。

老台灣人史觀和小林善紀的新右派史觀，當然有很多相通的地方。最讓他們能夠立即感應的是對中國的反感。中國是他們建立自我認知的共同敵人，馬上就產生同仇敵愾的親和吸引。其次推著他們接近的，還有對老日本的肯定與對殖民經驗的肯定。

老台灣人之所以肯定日本殖民經驗，進而理想化日本殖民經驗，是為了建構一套可以拿來對照批判國民黨治下現實的標準。結果沒有想到這樣一個經過老台灣人自己的願景投射改造

過的理想日本，就被小林善紀接受爲台灣殖民史的事實，再把
它搬回去對照教訓現在的日本。

## 台灣歷史比《台灣論》複雜得多

　　小林善紀一再說在台灣看到昔日美好的日本精神，並一再
質疑爲什麼日本人反而失去了這種精神。認眞追究，這個問題
是沒有意義的，或者說問題本身就已經含藏了答案。美好的日
本精神只能保留在老台灣人身上，因爲他們不斷在與現實對應
中，去萃取日本精神最正面最美好的東西。現實裡有他們不滿
的髒亂，他們心目中的日本就變得越乾淨。現實裡有他們討厭
的違法亂紀現象，他們心目中的日本就越現代化越守法。只有
在這種封閉想像對應存在狀態裡，日本與日本殖民經驗才會變
得那麼了不起。

　　台灣的歷史，尤其是日據殖民史，當然比國民黨宣傳的
「五十年抗日史」複雜得多。不過台灣的歷史，也比《台灣論》
裡的草率武斷交代，複雜得多了。很不幸地，小林善紀和他討
厭的中國人，都一樣想用黑白分明的方式來勾畫台灣史，而事
實上的台灣史，從來都不是黑白分明的，台灣史可能比任何地
方的歷史更灰晦，而且是多層次複雜的灰色，沒有耐心的人是
畫不出來的。

　　而小林善紀，動不動要「傲慢一下」的這位作者，很不幸
是極其缺乏耐心的。他的《台灣論》只記錄了一代老台灣人的
看法觀點，還沒有碰觸到台灣史的本身哩！

# 「經濟奇蹟」不是奇蹟
## ——重讀《李國鼎口述歷史——話說台灣經驗》

從經濟發展的宏觀角度看，李國鼎當然是大功臣；然而對那些
為經濟發展付出沉痛辛勞犧牲的人們而言，面對「經濟奇蹟」
他們大概高興不起來、大概也無法表達對李國鼎真正的推崇與
感激吧。

李尉昂（就是史家黃仁宇）寫的小說《長沙白茉莉》有一
段寫到主角趙克明想要對青幫大老杜月笙的背景多些了解，於
是問了一位在報社裡工作的朋友趙樸。趙樸聽完趙克明的問
題，立即的反應竟然是：「我相信他的訃聞中一定找得到答
案。」

聽見這樣的回答，趙克明大感困惑，杜月笙明明還活得好
好的，怎麼會有「訃聞」可查呢？於是：

趙樸面帶笑容解釋說：「『訃聞』是報社內部的術語。要知
道，一個舉國知名的大人物上午九點心臟病發死亡，下午
五點訃聞就得檢排出來。如果一切都得從頭做起，時間上

可能來不及，所以有些資料必須事先準備好。關於『杜大耳』（杜月笙）這樣的人物，我們辦公室有一個檔案，記錄了他一生的事蹟和必要的參考資料。有些隨時可以發表。他在世期間，我們會不斷增刪，使資料不至於過時。我們把這套東西稱作『訃聞』。當然只有報社內部的人這麼說。」接著他又提醒我（趙克明）：「別以為報社登的訃聞會和檔案裡的一模一樣。通常我們會大幅修改。」

李國鼎過世，在報上看見對他一生的報導，我就想起《長沙白茉莉》裡的這段話，頗有感慨。

## 介於新聞與歷史間的「訃聞」

熟悉報業發展的人都清楚，「訃聞」在西方報紙上的重要性。報紙標榜「今天的新聞是明天的歷史」，而新聞與歷史最接近的點就是「訃聞」。「訃聞」講求的是在最短時間內用最短篇幅，讓讀者立刻可以捕捉到這個人一生的重要意義，並且替未來歷史「蓋棺論定」初步定調。

「訃聞」要寫得好，除了小說裡寫的要有累積豐富的材料，與時勢變化俱進地不斷增刪以外，還需要對於「訃聞」主角活躍時代有真切的感受與反省能力，再加上準確而大膽的文字，一針見血地點出那個人一生的功與過與惹起爭議的問題。

「訃聞」在中國在台灣就沒有那麼發達。最核心的理由則是小說裡趙樸最後那句話好意提醒點出的，不管基於什麼樣用

《李國鼎口述歷史
——話說台灣經驗》
康綠島／著
卓越出版社

心、出於如何的理由，「訃聞」眞要問世刊登時，都會經過「大幅修改」。

修改的方向，不外是隱惡揚善，不外是把值得爭議的部分淡化成背景，不外是給一個雖然不見得是事實，卻是大眾容易接受願意接受的簡單答案。

「訃聞」這樣一種貫穿新聞與歷史的文類，在台灣受到的待遇比在中國還要悽慘。過去的老報人，都還受到強烈的掌故傳統影響，喜歡也有能力有本事去搜羅名人的片段軼事，以此作爲「訃聞」的骨幹。到了台灣以後，這種掌故傳統逐漸凋零，新聞工作越來越片段化，每個人都只顧只在意眼前跑的新聞，至於時間脈絡下前後新聞的關連性，就越來越不在新聞實務裡獲得重視。

還有一個因素是人物的歷史評價在台灣也越來越沒人在意了。可是在中國舊傳統裡，傳記之所以重要，就是因爲社會普遍講求「身後名聲」。一九六○年代，劉紹唐創辦《傳記文學》，揭櫫「開野史館」的基本原則理念，一時掀起風潮，《傳文》第一期到第七期全都供不應求被迫再版，創下雜誌史的記錄。那時候《傳文》憑什麼紅？憑大人物們都想取得替自己寫回憶錄寫傳記的權利；也憑大家都想取得替大人物寫傳記替他們定個春秋褒貶位置的權利；還憑大家都對如何記載、評斷過去的人與事高度關心。經過四十年，《傳文》又爲什麼漸次凋

零了？不正是因爲這個社會失去了對自己與對別人生平記述評價的興趣了嘛！

台灣沒有優良的傳記傳統，台灣報紙甚至找不到固定的「訃聞」欄了。沒有「訃聞」、不重視「訃聞」的社會裡，再怎麼曾經叱咤風雲的人，過世時都難免格外讓人覺得冷清。畢竟絕大多數的人，都是在退休多年淡出現實舞台後，才老邁死去的。也就是說大部分名人死去時，他已經沒有任何現實影響力，也就沒有任何直接的新聞價值了。沒有「訃聞」、沒有習慣性關心「訃聞」的讀者，多少本來應該在歷史上占了一席之地的人，就此默默被吸入大眾遺忘的黑洞裡。

## 舊時代的財經偶像

李國鼎當然不能算是「默默」死去。不過我們可以清楚地從新聞的發展與處理上看得出來，如果他不是先病發住院，住院期間許多目前擁有權力的人，包括陳水扁、連戰與宋楚瑜在內都前往探視的話，不會受到這麼多的注意。而且如果不是剛好台灣目前的景氣狀況持續低迷、台灣的經濟發展面臨瓶頸困境、台灣政黨輪替後的新執政者在財經政策上表現出左支右絀的窘態的話，李國鼎也不會受到這麼多的注意。

在現實條件圍繞下，李國鼎被塑造成爲一個舊時代的財經偶像，拿來對照批判攻擊目前財經官僚的無力與無能。李國鼎也被簡化成爲國民黨執政時期科技成績的設計規畫功臣，拿來對照批判攻擊今天的民進黨。

　　換句話說，李國鼎能夠擺脫冷冷清清死去的命運，付出的代價是他的一生被高度簡化、高度扭曲了。不是說李國鼎沒有在台灣財經發展上的大功勞，也不是說李國鼎跟台灣工業發展、科技發展沒有關係，而是他一生遠比這樣的描述來得複雜，這樣的說法、寫法迴避掉了李國鼎生命中非常重要的一些背景、一些人、一些概念。

　　我們甚至不必「上窮碧落下黃泉，動手動腳找資料」，只要翻出李國鼎生前自己留下來的口述資料，由康綠島記錄整理，並補充若干資料與親友訪談寫成的《李國鼎口述歷史》，就可以得到許多啓發。

## 「科技官僚」在台灣興起的過程

　　啓發之一，是關於李國鼎發跡崛起的背景。研究中國近代史的學者，曾經碰到一個非常棘手卻又極爲關鍵的難題，那就是：爲什麼統治中國大陸時期的國民黨，在處理經濟事務上，那麼無能那麼腐敗那麼落後，並且因爲在經濟上的大挫敗以致失去了民心、失去了大陸政權，可是遷到台灣之後，卻竟然創造了短時間內高度成長高度發展的經濟奇蹟？

　　這個大問題困惑過許多學者，很多人也從很多不同角度提出過答案。我們可以從李國鼎的際遇經驗，替這個問題的解答做出補充注腳。

　　首先值得注意的是，李國鼎屬於中國「科學啓蒙」的特殊群體。「五四運動」中喊出「德先生與塞先生」的口號，強調

要以民主與科學來救中國。不過在現實上，幾十年的時間裡，「德先生」方面的民主改革其實並沒有太大的進展。然而因為關心、鼓吹「德先生」的一群人，同時也是社會上的文化先鋒人物，他們開口能講、提筆能寫，而且一路上又連環掀起了好幾場大型論戰，吸引了社會的觀感，參與其間的許多人相應也成了明星。結果是大家都把注意焦點放在「文化啓蒙」、「政治啓蒙」的活動方面，而忽略忽視了平行發展的另一股「科學啓蒙」的力量。

「科學啓蒙」的這群人，接觸的是西方自然科學的知識，關心的是如何利用科學知識來影響改造中國的工業。他們分布在中國的學院和工業界裡，彼此間有互通聲息、聯絡結盟的管道，卻缺乏吸引廣大民眾注意的表演素質。學物理出身、數學成績優異，在美國專攻天文學的李國鼎，最早接觸的就是這群人與這個「科學啓蒙」的傳統。

李國鼎在一九四七年加入了一個很特殊的社團，就是一九一九年成立於美國哥倫比亞大學的「仁社」。我們攤開「仁社」歷來社員的名單，上面赫然出現了嚴家淦、尹仲容、陶聲洋、錢純、張繼正、趙耀東，簡直就是台灣財經史的名人錄嘛！

「仁社」這些人，原本在中國知名度不高，和政治之間的關係也不密切。然而一九四九年後，國府遷台才給他們帶來了上到政治主要舞台的機會。蔣介石來到台灣以後，國民黨的權力核心真正經過一次大整頓大改組。最重要的一者是孔宋家族勢力沒有跟隨蔣介石來到台灣，二者是陳果夫陳立夫兄弟CC派又被蔣介石刻意排除在台灣的新權力架構之外。

孔宋與CC沒有進來攪局，情況相對簡單化，蔣介石也就有辦法有力氣去整理黨內的其他派系。中統、軍統、三青團先後馴服了，在台灣的國民黨已經不完全是大陸時期的國民黨了。

整頓改造後的國民黨，空出了許多過去派系把持的權力位置，到底要由什麼樣的人來補這些空缺，決定台灣會走什麼樣的道路、發展成一個什麼樣的社會。

對台灣來說相當幸運的是，剛好在國民黨新舊板塊大挪移的節骨眼，增加了關鍵性的美國因素。一九五〇年韓戰爆發，第七艦隊巡弋台灣海峽，阻擋住了中共渡海的壓力，繼而為了對抗中共、防堵共產勢力擴張，美國的軍事與經濟援助湧入台灣，讓倉皇流離的蔣介石政權獲得了喘息的空間。

美援進入台灣，可是美國並沒有忘掉當年在大陸，美援金錢與物資被少數人囤積侵吞的惡劣先例，所以和美援一起進入台灣的，還有美國對蔣介石強大的監視壓力。

蔣介石在大陸時多次為了類似的壓力和美方翻臉。然而大陸淪陷避居小島的不利情勢，讓他不得不讓步。美方施壓的結果，一方面是美援的運用必須透明化，從頭到尾每個環節都要受美方查驗；另一方面則是親美派，具有美國背景、服膺美式信念的人，在國民政府中的地位日益重要。

正是這樣的背景環境，決定了是「仁社」這樣的「科學啓蒙派」，受到重用進入政府體制裡填補舊派系空出來的位置。

這些人的共同特色是觀念態度都比較現代、比較西化，可以贏得美方信任。而他們的政治經歷又相對單純，不會引起蔣介石的疑慮。他們不曾捲入過複雜的政治鬥爭，卻又有比較扎

實的科學知識背景，後來就被歸納爲「技術官僚」。沒有遷台的大整肅、沒有美國的強大影響，台灣不會有「技術官僚」，更不會有「技術官僚」活躍的餘地。

## 李國鼎與蔣經國的齟齬

啓發之二，是李國鼎與蔣氏父子兩代的關係。

我們現在習慣講「經濟奇蹟」，一講「經濟奇蹟」又很習慣聯想起最是巨構的「十大建設」，於是再牽連到把「經濟奇蹟」的功勞歸給蔣經國，再加上新時代歷史評價的大逆轉，蔣介石承擔了最主要的威權獨裁罪過，相對形象上親民、晚年又積極推動民主化的蔣經國得到了較高評價，大家就想當然耳把李國鼎的成就與蔣經國連繫在一起。最近不久前，還流傳過當年蔣經國力邀李國鼎接任行政院院長，李國鼎懇辭不就，才改由孫運璿出馬的故事。

然而我們可以在《李國鼎口述歷史》中看到不一樣的史實面貌。真正信任重用李國鼎的是老蔣，而非小蔣。李國鼎在台灣經濟決策上扮演決定性角色的時期，是一九六三年到一九七二年間。這段時期，他歷任經合會祕書長、副主任委員、經濟部長及財政部長等關鍵職位。

比這些職稱更具權力分量的，是這段時期內，他幾乎一直是獲蔣介石單獨召見頻率最高的政府官員。最多的一年是一九六七年，有二十二次，幾乎每兩週一次。一九六五年十六次、一九六六年二十一次，一九六八年也還有十三次。他在經濟部

長任內四年半，每年接見中外賓客超過一千人次，批閱六千件以上的公文，平均每天主持一場會議，每周發表一到兩場公開演講，全年參加晚宴在兩百次左右。這些數字代表的不只是李國鼎的辛勤工作癖好而已，更是準確而有效的權力指數。

值得注意的是，六〇年代末期隨著蔣經國接班態勢愈趨明朗，李國鼎的影響不升反降。他和蔣經國之間最大的衝突點，恰巧是出現在「十大建設」方案上。早在一九六九年內閣改組，李國鼎被調去接掌他完全不熟悉的財政部業務，當時就有人揣測其內幕是蔣經國對李國鼎的勢力有所忌憚，所以藉將李國鼎調職來打散逐步成形的「KT派」。

財政部長任內前幾年情況甚平穩，到一九七三年發生石油危機，蔣經國大力主導財經政策，李國鼎的意見就開始屢屢「踢到鐵板」了，首先在物價問題上，蔣經國堅持用政府力量進行硬性控制，就和李國鼎想法相左。再下來蔣經國宣布了規模空前的「十大建設」，李國鼎身為政府財務總管，竟然事前毫不知情。

《李國鼎口述歷史》裡留下了一段非常坦白的評語：

　　依據李國鼎的看法，蔣經國內閣是一個「大有為的政府」，但卻不肯「大有為的收稅」，因此，只能落得個「好大喜功」的「美譽」。他認為各項建設，應按照它們的重要性與效益，排一個優先次序，再依照全國總資源的供需，來決定建設的可行性，千萬不能因為高估國家財力而破壞收支平衡，引發惡性通貨膨脹。

　　此外，李國鼎覺得在台灣，一般人都希望國家多做事，自己少納稅，政府若是不努力教育人民國家的建設是來自納稅人的荷包，卻讓人民相信國家一方面可以大量建設，一方面又可以減稅免稅，這是十分值得憂慮的。

　　同時，李國鼎又認為，由於蔣經國喜好大型建設，一般民意也對上億元的收支司空見慣，習以為常，便會造成一種浮誇的現象。……這種「心理上」的通貨膨脹，也使李國鼎感到非常憂心。（頁二一六～二一七）

看法如此不同，李國鼎和權力核心也就開始逐步疏離了。一九七五年李國鼎第一次心臟病發作，一九七六年他就被調任為不管部的政務委員了。

　　換句話說，蔣經國將李國鼎冷凍了起來，近乎敷衍安撫地只給了他一個「應用科技研究發展小組」擔任召集人。何以見得這個小組是敷衍安撫性質？這個小組本身一毛錢預算都沒有，也沒有幕僚人員的編制，祕書人事費用還要靠行政院祕書處底下的一個組來撥發，召集人李國鼎身邊只剩一位機要祕書，其他權力統統被架空了。這不是敷衍安撫是什麼？

　　然而蔣經國沒有料到，李國鼎自己大概也沒有料到，「十大建設」的「第二次進口替代」大投資完成之後，給台灣產業升級開出了大幅空間，也給予台灣產業不得不升級的龐大壓力，而產業升級的樞紐，正就是「應用科技研究發展」。

　　結果是李國鼎在這個小組一待待了十二年，靠著這個沒錢

沒人的小組，因緣際會成就了「科技教父」的名聲。被蔣經國
刻意打散的「KT派」，反而藉著流散的命運擴張了範圍，李國鼎
沒有完全失勢，「KT派」也就維持了長期在台灣財經界的巨大
影響力。

我們整理李國鼎與蔣經國的關係，可以確知李國鼎對台灣
經濟的主導地位，其實分成前後兩期。前期是台灣的「出口導
向」政策形成時期；後期則是對台灣資訊工業發展的大戰略規
畫。兩期中間由「十大建設」所代表的「第二次進口替代」階
段，李國鼎反而沒有積極參與，甚至是抱持保留，甚至反對意
見的。

## 對農民的殘酷傷害

從這裡引出我們可以得到的第三項啟發，那就是在台灣工
業發展過程中，李國鼎的思想根源以及其作為的功過評價。

在設計台灣初期工業資本累積與工業發展時，李國鼎高度
依賴日本明治維新的前例。這個前例的教訓，濃縮來說就是以
重稅的方式將農民的收入集中到政府手裡，阻止農民將增加的
收入用於提高生活水準上。政府獲得了從農民手上移轉來的資
源，再以優惠的方式鼓勵工業創業，提供工業資本，讓新興工
業得以立足成長。

這種策略，從抽象層次看言之成理。「就長遠的利益來
看，為了加速經濟發展，人民應在消費上做些犧牲，稍微延緩
生活的改善，等到社會總體的財富增加了，餅做得更大了，再

來增加私人消費，改善生活。」（頁一三一）可是落實之後，卻產生了許多嚴重的問題。

一個最大的問題，是農民階層的負擔重到難以想像。台灣農民從農業改革上獲得的收益不如明治維新時期的日本農民，可是台灣政府卻有除了課稅以外，層層剝奪農民收入的豐富手段。從最根本上徹底控制農產品價格，到肥料換穀的不等價強迫交易，到實物徵收的低估糧價措施，在在都使得台灣農家不只是生活沒有改善，甚至不斷向下沉淪。

相對應的，農民以外階層，尤其是國民政府政權統治賴以維持的龐大軍公教，在經濟發展上受到的不平待遇就少了很多。這種相對被剝奪感，讓台灣農村不只是逐步破產，而且長期處於不公平的義憤心情下。

另外一個大問題是，從農轉工的過程裡，政府扮演了太重要的主導角色，也就展現了高度的任意性。比較倒楣沒有獲得政府青睞或拉不到政府關係的人，就從貧困的農家中流離出來，成了都會底層的廉價勞工；比較幸運比較會鑽營的，就可以獲得政府特許權利、基本優惠，而成為工業發展中的得利者。

這樣高度不公平的狀況，李國鼎自己也很清楚。所以他才會在各式各樣的場合，不斷表示對「農民在台灣經濟發展過程中的犧牲與奉獻，……常懷感激與讚佩。」不過李國鼎可能不清楚的是，如此歷程種下了台灣政治極其不穩定的城鄉差距以及族群隔閡，一直到現在，我們的社會都還在為這樣的歷史歪斜結構付出代價。

　　從經濟發展的宏觀角度看，李國鼎當然是大功臣；然而對那些為經濟發展付出沉痛辛勞犧牲的人們而言，面對「經濟奇蹟」他們大概高興不起來、大概也無法表達對李國鼎真正的推崇與感激吧。

　　讓我們不要遺忘了奇蹟背後不是奇蹟的這部分事實吧。

# 「長榮式經營」解祕大公開

——讀《張榮發回憶錄》

因為有強有力的家父長式管理，張榮發的意志才能貫徹成為長榮的意志。張榮發挑剔、求全，甚至帶有一點點潔癖神經質的風格，也才會成為長榮的風格。不過反過來看，長榮的性格與張榮發性格二而一的緊密結合，卻也使得長榮內部沒有人反對、挑戰張榮發，張榮發在長榮是最徹底的獨裁者，因為他的員工不只是聽從他，還會真正打心底信仰他。

在台灣的大企業中，長榮的能見度甚高。因為它有貨眞價實的「世界第一」（貨櫃船噸數），也因爲它有迅速崛起霸占天空一角的航空公司，更因爲它有供人熱切傳言的政商關係。與企業體的高能見度相比，企業主張榮發難免就顯得有些「神祕」。也很少（在今年之前）接受媒體訪問或向媒體放話，他自己及張家家族成員，也不曾像其他幾個財團那樣大舉向政壇進軍。

### 神祕的張榮發

《張榮發回憶錄》
張榮發／著
遠流出版公司

　　《張榮發回憶錄》出版的意義之一，當然是減少了張榮發的這分神祕感，部分滿足了台灣社會對他的好奇。當然，以台灣目前大鹹重辣的「八卦口味」為標準的話，這本書對張榮發的私人生活根本全無披露、乏味至極，甚至連外界傳言最盛的焦點——長榮與日本紅丸商社間的關係，張榮發在書中也只以「誠能感人」做了籠統的交代。我們即使完全相信這中間真的沒有別的內幕，《回憶錄》裡的內容也還是貧弱到讓我們無法深切感受到當年張榮發的經營魅力。為什麼每次受到挫折，甚至面臨倒閉破產的邊緣，他總是到日本、總是找紅丸商社、總是能夠說服紅丸的負責人願意再一次拿出錢來幫助長榮渡過難關？我們需要比《回憶錄》更生動的文筆、更豐富的細節，才有辦法逼真重現「紅丸—長榮」跨國情義傳奇的歷史景況。

　　因而《張榮發回憶錄》真正徹底解答的，其實是所謂的「長榮企業文化」，這也才是這本書實際價值所在。恐怕也是遠流出版公司不把此書歸入傳記類，卻要另闢一條「產業台灣」新徑的用心焦點吧。

　　台灣產業經營的成功，已經有許多利潤、成長的數字可以確切證明。然而成功過程的來龍去脈，卻一直未見詳細的調

查、解釋。過去的研究，不管正面或負面，都太過於強調政府的角色，相對忽略了民營企業的辛酸軌跡。其實從整體上看，政府的角色最凸出的大致有兩項。戰後國民黨所建造的政府，是一個極其有力的資源動員機器，強行擠榨吸納了非常多的資源，這是第一項特色。然而正因為要有效動員這麼多資源，政府就必須掌有近乎絕對的權力，權力接近絕對，也就沒有制衡監督的設計，如此又造成了政府注定無效率、浪費的結果，這是第二項特色。

在這樣的政府控制下，如何抵抗政府對私人產業的過度徵用取汲，又如何利用有限資本資金，做最快最正確的投資，就變成台灣民間企業是成是敗的關鍵課題。

## 台灣私人產業面對的挑戰

因應這個課題，張榮發主導下的長榮掌握了幾個重要優勢：

第一是以紅丸商社為主要而且穩固的資金供應者，在相當程度上擺脫了政府控制的國內金融系統，可以用較快且較低的成本取得每次擴張時所需的資本，才能搶得先機。長榮的成功，也就對照說明了為什麼台灣其他眾多企業，長期維持在中小型的規模。主要原因正是，台灣的銀行在政府政策下，以低利優先貸放給公營事業、大企業，相對中小企業就只能擔高風險、付高利息進行民間借貸，當然很難做規模上的擴充。

第二是張榮發的成功，在於他每次關鍵時刻都能預測到全

球性趨勢的發展。整個貨櫃化的過程，幾乎每個步驟，張榮發都是進行生死賭注式的投資，不惜成本去做，不過每一個步驟他都賭了對的那邊。張榮發的選擇，當然不是來自直覺，而是靠長期累積的知識，以及詳密的調查。他的知識主要來自日文的書籍期刊，而他對調查的重視，也非常接近日本人追根究柢的文化習慣。

這點應該提醒了我們，日據時期最後一代成長背景的人，他們在戰後台灣發展上，扮演了非常重要、卻遲遲未受重視的角色。在那個極權領國的時代，他們默默在引介利用日本的知識、文化資源，醞釀他們自己一種非常不一樣的世界觀。張榮發如此，李登輝又何嘗不是如此？

第三是家父長式的企業內部管理風格。長榮幾乎全盤引進了日本式的「終身僱用制」，在這個上面更加上張榮發自己的「照顧」理念。張榮發與長榮員工之間的關係，遠超出一般資本社會規範的公共領域契約行為。在張榮發的經營理念裡，是沒有「公／私」分野，做一個「長榮人」，不只是在辦公室、碼頭、船艙要遵守公司紀律，更要被教導如何修身、如何過日子。這種公司藉「照顧」對員工私領域的徹底改造，可能跟張榮發早年行船的經驗有關。船上航行的歲月，是分不出上班下班的，公司即家、家即公司。

因為有這種強有力的家父長式管理，張榮發的意志才能貫徹成為長榮的意志。張榮發挑剔、求全，甚至帶有一點點潔癖神經質的風格，也才會成為長榮的風格。不過反過來看，長榮的性格與張榮發性格二而一的緊密結合，卻也使得長榮內部沒

有人反對、挑戰張榮發，張榮發在長榮是最徹底的獨裁者，因為他的員工不只是聽從他，還會眞正打心底信仰他。

## 徹底獨裁的家父長管理

這樣的徹底獨裁企業，保障了張榮發可以充分發揮他自己最高度的創意。在需要的時候，不受牽制地進行別人認爲不可能的計畫。例如決定朝「全貨櫃」轉型、例如與「運價聯盟」正面對決、例如開辦航空公司、例如臨時將波音七四七型機改裝成客貨兩用等等，都是鮮明的例子。每一次，張榮發都憑藉著他的敏銳判斷，促使長榮以超乎正常的速度成長。

這樣的公司，好處在有一個人幾乎是絕對自由的。可是它的問題也在只有一個人可以擁有創意權。萬一這個人的創意沒有像張榮發那麼正確呢？張榮發並沒有告訴我們這方面的防弊制度又該如何建立、如何運作。

張榮發在《回憶錄》裡，大方地公開了「長榮式經營」的祕訣，不過這個祕訣到底有多少其他企業人士可以拿去效法模仿，那就很難說了。

# 演員兼觀眾的奇異角色
## ──讀陳文茜的《文茜小妹大》

不管是現實態度、對現實知識的好奇、對意識形態熱情的反感，乃至被其他熱情信仰者的攻訐，陳文茜的確都很像艾宏。然而和艾宏相比，陳文茜還多了幾分古靈精怪的腦筋急轉彎，多了幾分伶牙俐齒的辯說無礙，相對也就少了幾分憨直認真。

陳文茜是個很愛用典故的人。事實上陳文茜之所以讓人覺得語言有味，讓人覺得聰明絕頂，關鍵固然在她腦筋比別人多轉幾個彎、她的臨場反應比別人快，還有一件不應該被忽略的條件，就是她能掌握、她會用的典故比人家多得多。

隨著知識在這個社會上地位的淪落，隨著教育僵化帶來思想僵化的效應，運用典故這樣一個最重要的炫學技術，也就在台灣不斷退化，近乎絕跡了。

一般狀況下，台灣的文字語言正常使用中，典故的地位退化到剩下兩種。一種是在學院的學術論文裡大量堆砌引文，另一種則是簡化版的抄引格言式的短語。

陳文茜用的典故沒有那麼短，也沒有那麼冗長。她不會隨

便撿拾東一個西一個名人某些看似有學問實則意義不大的「名言」放在言語文章裡。（例如我曾經聽過某位「名嘴」引用美國開國元勳富蘭克林說：「言論自由比生命還重要。」問題是，這樣一句話是或不是富蘭克林講的，到底有什麼差別？在這句話之前冠上富蘭克林的名字，對我們理解這句話、接受這個概念，有什麼影響嗎？）陳文茜也不會認真辛勤地去翻書一字一句抄大段大段的內容。她喜歡講某個故事某本書及某種概念，然後在引用的典故與要評議的時事時人間發揮想像聯結關係。

## 用典故發揮聯想

文茜的聯想力驚人，別人看似跑野馬亂拉胡扯的東西，她都可以找到特別的方式收集整理得出精妙結論來，不過要能發揮這種聯想本事，到底還是要有夠多的典故供她利用才行。

從看典故與聯想發揮的角度，我們可以理解《文茜小妹大》這本書的價值。這些文章過去在《商業周刊》以專欄形式刊出，提供了陳文茜一個夠大的空間，讓她能夠把要講的典故講清楚，不至於像上別人的叩應談話節目時那樣侷促綑鎖；而倒過來看文字形式所要求的簡練紀律，又逼著她不能像在自己主持的談話節目上般滔滔不絕不知剪裁。（當然，這本書的整理者李瑞玉在這方面應該是大有功勞吧！）

《文茜小妹大》這本書連目錄裡都忍不住要藏幾個耐人尋味的典故。第一篇叫〈劈成兩半的女爵〉，顯然是典出卡爾維諾小

《文茜小妹大》
陳文茜／著
時報文化公司

說《劈成兩半的子爵》。第四篇叫〈在你鼓掌之前〉，套用的還是卡爾維諾的小說書名《在你說喂之前》。

至於夾在中間的第二、第三兩篇，〈入戲的觀眾〉、〈逃戲的演員〉，共同指涉向雷蒙・艾宏（Raymoncl Aron）著名的自我比喻。事實上，陳文茜不只用了雷蒙・艾宏的「入戲的觀眾」，她還在序言裡特別挑出了雷蒙・艾宏，來作為自己的寫照、鏡影。

換句話說，這整本書最大最核心的一個典故、一個聯想，應該是陳文茜以雷蒙・艾宏自比自況。她直接這樣說：

> 艾宏是出了名的，在左派說右派的話，在右派那兒又說左派的話。沙特甚至曾經批評，艾宏是他所見過最無恥的知識分子。意思是說，這個傢伙立場搖擺不定。我幼年深受沙特等左派思想家的影響，對雷蒙・艾宏這類人沒啥好感，萬萬沒想到自己，人生越走越老，最後竟會和雷蒙・艾宏同屬一類。

她又說：

> 艾宏一生難以歸類，左派右派都不像，說是政治人物不

像，說是思想家也不純然是；說是新聞評論者，又比一般
新聞工作者具深度許多；說是個客觀的人，有時卻總有著
瘋狂的知識分子意志。

雷蒙・艾宏在台灣不算是個響亮的名字，不只比陳文茜差多
了，也還比不上他的法國同胞傅科，甚至也比不上他當年在高
等師範學校的同學，後來一輩子在思想與政治立場上的敵人沙
特和波娃。

## 雷蒙・艾宏的「現實學問」

不過艾宏眞是個有趣且値得重視的代表性知識分子。他一
生的某些經歷，例如遊走於媒體和政治之間，也的確和陳文茜
頗有類似之處。他還有一個重要特色，其實也和陳文茜的志趣
很接近，而文茜在她的序裡忘了提的，那就是艾宏雖然受哲學
訓練出身，但他對「現實學問」非常認眞，也下過功夫學習，
這點讓他和他那代其他頂尖知識分子很不一樣。

他的「現實學問」包括了對社會學的認眞探討。一九六七
年他寫了原名《社會學思想階段》的重要研究，一共探討了孟
德斯鳩、孔德、馬克思、托克維爾、涂爾幹、韋伯及巴雷多等
人的社會研究概念。這本書譯成英文後，改名爲《社會學的主
流》，一直到三十多年後的今天，都還是西方大學社會系研究生
必讀的著作。

他的另一項「現實學問」是對經濟學的探究。這方面他也

留下了一本字句簡白清楚，但概念掌握完整無缺的作品，叫《工業社會十八講》，這書一出版就成了暢銷書，後來還有部分內容被收錄在小學課程讀物中，教小朋友認識工業與資本的基本意義。

關於《工業社會十八講》，還流傳著一個有趣的故事。一九六九年，艾宏針對當時法國結構主義的當紅明星阿圖塞的著作，寫了一本嚴肅的大批判《從一個神聖家族到另一個》，書中直指阿圖塞根本不懂經濟學。阿圖塞真的不懂經濟學，至少不懂馬克思之後資本主義體系下的主流經濟學。不過被艾宏這樣正面攻擊，阿圖塞當然得想辦法出招回應。據說阿圖塞找了一位精通經濟學的友人，請他推薦一些可以最快掌握經濟學發展脈絡的著作，以供惡補之用。結果友人給阿圖塞的書單，名列第一的赫然就是艾宏的《工業社會十八講》。後來阿圖塞始終沒有對《從一個神聖家族到另一個》做出正面、公開的答辯。

艾宏還有一項和陳文茜的興趣更為相合的「現實學問」貢獻，那就是寫了一本《國際關係中的和平與戰爭》。這本書在出英文翻譯本的時候，顯然為了增加書名的聳動性與醒目程度，出版社將「國際關係中」幾個字給省略掉了，只剩下斗大的《和平與戰爭》，乍看下以為是托爾斯泰《戰爭與和平》的姊妹作。

《和平與戰爭》英譯本字排得密密麻麻的，都還有八百多頁，其厚重程度直追《戰爭與和平》。不過《和平與戰爭》絕對不是本大河歷史小說，而是對國際關係、世界秩序宏觀壯闊的大整理。艾宏提出的國際大理論，獲得了季辛吉最高讚譽的背

書，一時間成為外交圈人人必備的著作。

　　人人必備不等於人人必讀。事實上這本巨著，真正讀完的人恐怕不多，艾宏有意識地追模先輩孟德斯鳩處理法律的方式，他不是要處理國際關係裡的技術操作、表面規範及弱肉強食，而是探入深層去挖掘出一套哲學一套精神。就像每個學法律的人，都聽說過《論法的精神》（或譯《法意》）這部經典，可是讀得完讀得懂的寥寥無幾。《和平與戰爭》書中充滿了艱難的哲學推論，龐雜繁複的引經據典，讀來真的非常辛苦。

　　不過，看這本書看得辛苦，卻千萬不要誤會艾宏在國際事務上的立場，會是抽象、蛋頭、不切實際的。他對國際關係理論化的興趣，其實正是來自他現實態度飽受儕輩譏評後的反彈。在左派熱情席捲法國時，艾宏堅持用現實角度去看蘇聯的集權與落後實況，使他成為沙特等人的眼中釘。當民族主義與帝國情緒漲到最高點時，艾宏又在對阿爾及利亞的問題上，堅持呼籲戴高樂明白放棄前殖民地，讓阿爾及利亞獨立。

## 致力於寫出最理論最哲學的大書

　　這樣的現實立場，讓他飽受社會青白眼。更多人質疑他根本沒有中心信仰思想，只是為反對而反對、標新立異以求凸顯自己而已。艾宏為此不得不利用到美國進修研究的時間，奮力寫出一部最理論最哲學的《和平與戰爭》，試圖堵住反對者的悠悠之口。

　　不管是現實態度、對現實知識的好奇、對意識形態熱情的

反感，乃至被其他熱情信仰者的攻詰，陳文茜的確都很像艾宏。然而和艾宏相比，陳文茜還多了幾分古靈精怪的腦筋急轉彎，多了幾分伶牙俐齒的辯說無礙，相對地也就少了幾分憨直認真。

陳文茜寫得出艾宏一定寫不出來的《文茜小妹大》，裡面每篇文章都充滿了機鋒，都展現了令對手不敢逼視不能回應的銳光，陳文茜以滑蛇般的姿態彎曲竄找攻擊點，時而嘲弄、時而囓咬、時而昂首吐信威嚇、時而沮喪低迴感慨不已，沒有任何政敵論敵，抵擋得住這樣多重多角度的攻防優勢。

所以陳文茜不會有艾宏的苦惱焦慮。陳文茜不是艾宏想像那種進也不是、退也不是的「入戲的觀眾」，文茜同時又是觀眾又是演員。演員或觀眾，都是她可以靈活選擇、變幻自如的化身角色而已。

文茜因為太聰明、太靈活，所以她不需要去寫《和平與戰爭》。她不需要靠沉重大部頭的著作來證明自己是有中心思想、意念的。這點她和艾宏不再相似。

我們享受《文茜小妹大》帶來的高度閱讀樂趣，不過對照艾宏，我們卻也遺憾那沒有出現的，博大精深的文茜版《和平與戰爭》。

# 預知悲劇紀事

## ──閱讀《中國「六四」真相》

悲劇底下，最可怕最大的力量，其實不在邪惡，而在愚蠢與惰性。我們懦弱地刻意隱藏自己敏銳的預知預感，堅持走一條危險的道路，然後發揮集體的力量互相安慰互相保證，直到原本我們早就預知預感到的悲劇結果，轟然爆發。

閱讀超過一千頁的《中國「六四」真相》的緩慢過程中，我一再想起賈西亞‧馬奎斯著名的短篇小說〈預知死亡紀事〉。一整個鎮上的人注目著事件的進展，大家都早知道再這樣下去一定會出人命，沒有人希望死亡發生，但卻也沒有人真正努力去阻止死亡的發生，終局的血腥場面果然出現，留下無限的遺憾與懊悔。

我相信賈西亞‧馬奎斯試圖點出隱藏在我們以為的悲劇底下，最可怕最大的力量，其實不在邪惡，而在愚蠢與惰性。我們懦弱地刻意隱藏自己敏銳的預知預感，堅持走一條危險的道路，然後發揮集體的力量互相安慰互相保證，我們可以不必改變，這樣走下去沒事的，直到原本我們早就預知預感到的悲劇

《中國「六四」真相》
張良／著
明鏡出版社

結果，轟然爆發。

## 揭露「六四」文件的政治目標

哥倫比亞大學教授黎安友寫的〈前言〉，明確指出了這本書的編纂者的確是有「政治目標」的。他的「政治目標」除了要「顯示學生運動是合法的、動機良好的」之外，還有就是希望透過揭露這些內部文件，來讓當年做出強硬鎮壓決策的中共官員，付出今天的政治代價，取得「遲來的正義」。

這一部分動機中最想懲罰的，顯然就是當時的國務院總理李鵬以及他身邊的人。我們甚至可以想像這位署名為「張良」的編纂者，多麼希望這些資料的披露，能夠直接導致目前仍高居人大常務委員會委員長，也還保留有政治局常委身分的李鵬立即垮台，遭到清算。再不然退而求其次，也要讓李鵬在歷史的眼光中留下千古罵名，永遠不得翻身。

從英文本 *Tiananmen Papers* 出版至今的種種氣氛看來，這些資料大概不至於對李鵬有什麼直接的殺傷力了。更進一步從書的完整內容上看，我甚至都懷疑披露這些文件，是不是真的會對李鵬的未來歷史評價有決定性的負面作用。

負責審訂、校勘這本書英文版的黎安友教授在〈前言〉裡就說了：

> 西方讀者對本書中所述李鵬的行為，可能比中國讀者的反應更為正面。李可能是一九八九年事件中最有能力、最堅定的政客。他在壓力下表現出強硬和精力，以冷靜和清晰的態度對付變化不定的局勢。如果說李把學生運動看作對現政權的致命挑戰，歷史證明他的判斷離實際相差不遠。可以肯定，材料顯示李是個復仇心強、嚴肅的、政治上僵化的人物，但他不是個機會主義者。

我覺得對李鵬比較正面的評價，關鍵或許不在東西文化差異，也不在是否有多元價值的社會環境。別忘了，「六四」發生前後，西方媒體西方社會對李鵬多麼反感，各大通訊社數量龐大的新聞稿中，有對趙紫陽表達支持的，甚至也有比較同情鄧小平的字句，就是對李鵬沒有一句好話。香港富商黎智英署名直接大罵「王八蛋李鵬」，不只震撼了香港，也立刻傳遍了世界主流媒體，替黎智英多寫了一頁傳奇。

黎安友對李鵬比較正面的描述，在我看來，正是因為他深入通讀了「張良」所提供的這些材料。在事件激烈的情緒裡、在沒有讀到可信資料無法理解「全世界最祕密的中國共產黨的政治制度」（黎安友語）底下的決策過程的情況下，我們可以把李鵬想像成一個極端冷血無情、極端邪惡的人。我們也傾向於用黑白分明的天真模式來理解這整件事的是非，學生就是好的對的、趙紫陽也是好的對的，李鵬則是錯得一塌糊塗錯得無可原諒的混蛋王八蛋。

然而耐心讀完《中國「六四」真相》的人，卻會得到一個遠為複雜的事件經過，被迫修正這種天真的黑白架構。首先我們必須認知的是，學生很可能動機單純、學生背後其實也沒有什麼「野心分子」、「陰謀家」，然而跟隨學生自發抗議被捲起的，是改革十年中累積的龐大不滿與怨憤，這些不滿與怨憤背後又是中共政府任何人都解決不了的問題。

## 革命爆發的時機

要了解這種局勢，我們也許可以借助托克維爾的智慧與洞見。在《舊政權與法國大革命》書中，托克維爾最早點出了一項我們對「革命」的誤解。刻板印象中，總以為最腐敗的政權、最高壓的手段、最貧困的生活境遇，最容易刺激起以推翻既有政權為目的的「革命」。然而托克維爾對法國大革命的觀察研究卻發現：革命爆發時的法國，不管是政治、經濟、社會各方面境況其實都在上升改善中，革命爆發時的法國政府比過去一百年來可能都有能力有效率些，也願意多做些改革。然而正因為情況開始好轉，第一是一般人的預期也就快速升高，本來對生活境遇的改善不抱任何希望，現在轉而夢想明天一定可以比今天更好。現實的變化永遠跟不上夢想爬升的幅度，夢想與現實間的落差就積累了憤恨不平。第二是情況好轉就開放了一部分人突然取得權力或財富的機會。這些在新形勢下產生的暴發戶，其他人看來就格外刺眼。憑什麼這些昨天還跟我一樣又貧又賤的人，今天能夠翻上去又富又貴？他可以我為什麼不可

以？

托克維爾開啓其端的革命理論，後來經過許多史學家跟進檢驗，解剖了另外的革命經驗（包括中國的辛亥革命），證實的確有其普遍的適用性。

《中國「六四」眞相》書中聚集的大量社會報告，也在在告訴我們，一九八九年經歷十年改革的中國社會，幾乎是處在革命的邊緣。群眾對財富與權力的預期甚高，對社會不公平狀況甚爲敏感憤怒，更對改革開放中幾次失敗深受其害。這些情緒都指向共產黨，然而這些情緒背後的問題，都不是共產黨短時間有能力解決的。

學生一再要求對話，趙紫陽也一再強調「多層次、多渠道、各種形式的對話」的重要性。然而我們卻可以從現實中看出，李鵬一幫人的傲慢固然令人感到難耐，不過就算再多的對話，在那個節骨眼上也不太可能發揮決定性的作用，因爲對話只是開端，對話最終引出的一定是問題的解決辦法，可是改革製造的問題，一定得靠時間來解決。

## 政策決定者的集體催眠

其次讓我們感觸很深的是在這麼險峻形勢上，政策決定者的集體催眠。「六四」事件中有一項發展，恐怕眞的是一般西方讀者最難理解最難體會的，那就是四月二十六日《人民日報》社論將學生的行動定性爲「動亂」。接下來又進一步把定性位階升高爲「反革命暴亂」。

　　這種定性宣告，是使得學生運動無法罷手的重要導因。剛開始學生悼念胡耀邦、要求民主要求新聞自由，這些都隨時可以收手可以停止，然而活動一旦被定性為「動亂」，他們就必須轉而為了自救、為了改變「動亂」定性而升高對共產黨的壓力。

　　為什麼？因為在共產中國的威權架構下，參與「動亂」是會被秋後算帳的，一定被認定是「動亂」，其他人就有權利以任何形式來整肅、清算、懲罰你。學生們被迫往前走，一定得爭取將他們的活動改為「愛國的、民主的」新定性，不然他們沒有退路。

　　而從《中國「六四」真相》書中我們看出，「動亂」定性其實只是鄧小平簡單、直接的一般反應罷了。參與決策的人，包括鄧小平在內，顯然都沒有深思這個反應的連鎖後果。然而一段簡單的話，只因是鄧小平說的，就變成了《人民日報》的社論，就開始發動黨機器與國家機器大肆宣揚要求各單位認真研習，也就讓學生們感到風聲鶴唳、大敵臨頭，不得不以更激烈的動員來回應。

　　層層升高的過程中，資料告訴我們，不是沒有人對「動亂」定性感到憂心忡忡，也不是沒有機會可以讓被「動亂」定性燎原的情勢逐步降溫，可是在同樣是層層卡陷的愚蠢與惰性中，中共決策者因循地自我欺瞞自我催眠，就是刻意去躲掉由鄧小平開端的這個連鎖，終至除了動用軍隊無法收拾的狀態。

　　早早就預知的悲劇就這樣一步步降臨。悲劇的最後一項內在自我欺瞞就是三令五申強調不准流血不准出人命。再怎麼強控制的體系、再怎麼嚴格監管的軍隊，都做不到這種程度的武

裝驅離動作的。那些決策者，他們其實都知道，但他們選擇不要去想。

## 悲劇之後的抉擇

　　我知道這樣的結論很諷刺，甚至可能讓編纂者「張良」感到悲憤莫名，但是一千頁《中國「六四」眞相》閱後得到的結論眞的就是：考慮外在這麼嚴重的革命邊緣危機、再考慮內在整體決策的集體逃避傾向，李鵬這批人的心眼與立場，反而變得是可以理解了。他們當然仍然不是好人，但他們犯下的錯畢竟不是邪惡、不是冷血殘酷，而是基於他們的權力信念而參與了集體的愚蠢與怠惰。

　　「六四」天安門事件，從革命歷史角度上看，是以流血鎮壓的方式，爭取到處理解決改革開放問題的時間，眞正意義重大的是，在悲劇確切發生之後，鄧小平堅持不讓這個悲劇改變既定的改革開放路線。至少在這點上，鄧小平的判斷是正確的，改革開放產生的毛病，只有靠更多的開放、更長遠的改革來解決。如果「六四」之後，中國逆轉走回封閉保守的路，那就很難保不會爆發更可怕的革命狂潮了。

　　鎮壓後持續開放，在面對左傾壓力時甚至不惜拖著老弱的身軀遠走南方發表「南巡談話」反擊北京保守派，這是鄧小平晚年對中國最大的貢獻。持續再開放再改革二十年，一九八九年時的險峻局面也就和緩了，一九八九年學生以激烈抗爭方式爭取不到的理想，拉長在時間裡慢慢也就逐步在實現了。不能

說他們的血白流了、他們的苦白受了,只能說在不對的時機裡爆炸開來的熱情,宿命燒向了一場可預知但卻無法遏阻的壯麗悲劇。

# 不平凡的狼狽經驗
## ——讀鄭鴻生的《青春之歌——追憶1970年代台灣<br>左翼青年的一段如火年華》

鄭鴻生的《青春之歌》寫出了生活、寫出了自以為的不平凡，
更重要的是，也寫出了其間及其後的狼狽。鄭鴻生的位置，使
他沒有掉入書寫這段故事最可能掉進的雙重陷阱裡：他沒有以
現實面為標準去矮化那些其實只活在少數幾個人心靈裡的高貴
理念；他也沒有純然封閉在高貴理念裡，把這些人刻畫成為英
雄，或賦予他們改變歷史、影響歷史的角色。

　　鄭鴻生的《青春之歌》，其實並沒有真如書名副標宣稱的那
樣，去記錄「台灣左翼青年」在七○年代的種種活動。在我閱
讀接觸的範圍內，兩年前出版的郭紀舟的《七○年代台灣左翼
運動》（海峽學術出版社），對於「台灣左翼青年」所思所為的
關切，就遠比鄭鴻生來得廣泛且深入。

　　鄭鴻生記錄的，只是非常非常小的一群「左翼青年」。而且
也只記錄了他們非常非常短一段時期的活動。這一群人恰好一
九七○到一九七三年間都活躍在台大校園，當然這幾年也正是

《青春之歌
——追憶1970年代台灣
左翼青年的一段如火年華》
鄭鴻生／著
聯經出版公司

鄭鴻生在台大念書的時間。

## 不瑣碎、不濫情的大學生活回憶

《青春之歌》比較明確的內容，是鄭鴻生自己的大學生活回憶錄。書中明白以年輕時代的鄭鴻生為敘述主體，寫的也幾乎都是年輕時代鄭鴻生所接觸到的人與事與校園文章，如此充滿自我意識的回憶與懷舊，當然不適合拿來當作「台灣左翼青年」的集體或社會學式整理研究閱讀。

這樣說卻並不表示《青春之歌》不重要或不夠重要。相反地，把《青春之歌》歸類定位清楚後，我們才更能評估這樣一本書的價值所在。

明明是一份個人的大學生活回憶，《青春之歌》卻絕不是一本瑣碎、濫情的書。第一個重要原因，是這短短幾年中，掀起了台灣戰後第二波的校園行動主義。在此之前，有「二二八事件」前後的學生蜂起，不過那波熱潮，到了「四六事件」、進入五○年代之後，就被嚴厲鎮壓、嚴格控管了。在此之後，到八○年代中期，有另一股最後推至「九○學運」的校園活力冒出來，是為第三波校園行動主義。

第二波校園行動主義，由「保釣」開啟其端，卻戛然終止於七三年的逮捕行動與隨後的「哲學系事件」。這短短三、四年

間，發生了很多事，又因為校園外的社會依然極度壓抑，威權管制籠罩了一切，校園中的熱火思想與活動，在靜滯的背景對照下更顯凸出，也就帶著今日難以想像的衝擊動能。

鄭鴻生的大學生涯，剛剛好落在這個時點上。而且他所交接的「左翼」師友們，又都是這波行動主義中的主要行動者。鄭鴻生以局內人的身分近距離參與，然而在逮捕行動及「哲學系事件」中，他卻陰錯陽差地逃過了國家機器的反撲懲罰，替他在記憶、描述這段經歷時，保留了較大的心理與情緒空間。

歷史條件使得鄭鴻生的觀察、記錄，越是個人，越是能挖掘出那次校園行動主義的底蘊。鄭鴻生青年時代的好友，也是《青春之歌》當中出現最多、事蹟占了最大篇幅的錢永祥，替這本書寫了一段既深刻又感人的〈跋〉，文章裡錢永祥如此說：

> ……三十幾年來，我對於自己成長的那些年頭、那些人與事，不敢回首之外始終也有難捨的眷戀——那是一群活得認真的朋友、一個自信不平凡的時代、一段豐富而狼狽的經歷。

## 認真地相信時代的不平凡

所以故事就在他們怎麼樣活，他們真正做出什麼事倒還在其次，畢竟箇中最具滋味的，不是那個時代真有什麼不平凡真有什麼了不起，而在於那麼一群人認真地自己相信時代的不平凡。換句話說，這段經驗如果有意義，也是在於那麼一小群

人，用那樣獨特的方式，建構了一個自己意識意念裡的輝煌世界，他們不顧苦悶的威權管訓、他們超脫了貧瘠的物質及思想補給限制，給自己的生活賦予了一組高超的、激越的價值內涵，是他們的想法，他們實踐、活過這些想法的日常細節，真正傑出、表現傑出。

然而從世俗現實的角度，這樣一個豐富的想像價值世界，卻帶給他們狼狽的災難。原本順利的學業因而中斷了。更狼狽的是想像中的高貴價值圖像硬生生被國家機器的威嚇粉碎了。那是一種最可怕最深沉的屈辱。你被迫在原本看不起的國家威權前面承認錯誤承認失敗，放棄那高貴的、超越的價值追求。

這就是為什麼像錢永祥這樣真正具有反思能力的當事人，會那麼抗拒去回憶的主因。這也就是為什麼其他局外人很難準確掌握到其間實存感受的主因。

鄭鴻生的《青春之歌》寫出了生活、寫出了自以為的不平凡，更重要的是，也寫出了其間及其後的狼狽。鄭鴻生的位置，使他沒有掉入書寫這段故事最可能掉進的雙重陷阱裡：他沒有以現實面為標準去矮化那些其實只活在少數幾個人心靈裡的高貴理念；他也沒有純然封閉在高貴理念裡，把這些人刻畫成為英雄，或賦予他們改變歷史、影響歷史的角色。

## 走在現實與理念中間的狹窄地帶

鄭鴻生恰如其分地走在現實與理念中間的狹窄地帶，讓沒有活過那段時期的人，可以更清楚地了解：這些不曾真正改變

過歷史的人藉著思考與生活，給那個時代的台灣多增添了一項多元基因。他們不同於服膺黨國意識形態的同時期的李大維、馬英九、趙少康、馮滬祥們，他們創造了，或至少努力去創造過，自己的信仰與價值。這是台灣社會的寶貴資產。反過來看，這些認真活過的人，在往後的生命歷程中，幾乎都毫無例外地被邊緣化了，而那些沒有創意地呼應黨國宣傳的人，成了這個社會的主流菁英，這樣的篩選說明了台灣的問題，台灣的悲哀。

《青春之歌》裡寫到一段奇特的經過。一九七三年二月十七日，警總動手抓人。本來是要同時逮捕黃道琳和錢永祥的。黃道琳被抓了，可是錢永祥卻逃過了。

> 老錢（錢永祥）頓然想起，這天早上出門下山的路上，有人向他詢問翠嶺路九號的位置，而他家則是十九號。那是在新北投的一個山腰上，周遭還頗荒涼，沒太多房舍，走到山腳則有一段路程。他也記得看到一輛吉普車就停在山腰，方位正可觀察到他們那一片房舍的出入情況。由此他推斷那個問路的人以及那輛吉普車應該就是來抓他的。……這天早上在翠嶺路上問路的那個人終於找對了門號，也發現了他要的人剛巧和他錯身而過，就火速下山企圖攔下開往台北的公車抓人，但還是遲了一步，讓老錢懵然無覺地來到台大註了冊。

不過這麼神奇的巧合，卻只替錢永祥多爭取了半天的時間。下

午錢永祥在孟祥柯的陪同下還是去了警總自行報到。

這段故事，多麼適合拿來作為這段校園行動主義具體而微的象徵。在那個年代，國家機器犯了一個錯誤（自大傲慢的警總及國家機器必定會犯錯的），意外地讓一些應該被監管的學生獲得了自由，只不過這自由如此短暫，最後他們還是只能被迫回到那個由威權管束搭蓋起來的牢籠裡。

為什麼自由那麼難、那麼短暫？鄭鴻生記錄下的錢永祥二月十七日那天的感觸，說明得最清楚：

> 老錢……到西門町漫無目的地走著，……想著這不是革命
> 的時代，沒有革命組織可以投靠，沒有媒體輿論可以求
> 援，他望著西門町的茫茫人海，個人像滄海一粟般無助。

明明是無助的滄海一粟，他們卻硬要認真自信地活出「一段如火年華」，他們的困境更凸顯了他們不可磨滅不該磨滅的精神。

# 理解美國歷史的基本骨架

—— 讀《當上美國總統》

> 美國總統真正的權力和他的外表形象，其實並不相稱。他其實
> 沒有大家想像那麼了不起的權力。可是既然外界都這麼相信也
> 都這樣預期，登上這個位置的人，也就只能硬著頭皮去面對這
> 項內在於美國總統職務的必然緊張關係了。

　　雖然美國從一七七六年建國迄今，只有兩百多年的時間，
即使遠溯殖民階段，頂多也只有不到四百年的歷史，可是幾個
重要因素，卻使得研究、了解美國過去，不能因為這樣的條件
限制而掉以輕心。

## 雖短卻豐富的美國歷史

　　一個因素當然是美國在現實世界體系裡的霸主地位。而且
美國的霸主地位中帶有強烈的文化影響力為其支撐，從美國發
散出來的價值選擇排山倒海襲向世界各個角落，不管是想要在
美國領導的這個體制下取得高度競爭力，或是想要鞏固本位文

《當上美國總統》
溫英超／著
遠流出版公司

化避免被美式潮流徹底淹沒，我們都得和美國的歷史觀面相見、進行對話。

另一個因素是美國之所以能成其大、成就其霸主地位，就在於短短幾百年內吸引了來自各地不同歷史文化背景的人，陸續加入。這種高度異質性、異質間爆炸性的關連互動，使得美國歷史雖短，其變化卻極其豐富複雜。美國發展的歷程，和其他單一民族、同質社會的國家，自然大異其趣。美國的歷史，是雖短卻擁擠的歷史，研究任何一段美國歷史，都可以切出許多值得深思的議題來，從這點看，美國歷史確是整理人類經驗的難得寶庫。

美國歷史重要而且豐富，不過在這樣短卻擁擠的歷史架構裡，有一個特色凸顯出來，那就是美國政治制度的相對穩定。在其他領域，兩三百年內美國都發生過天翻地覆的大變化，唯獨在政治制度、政治運作，以及此二者賴以維持的政治哲學上，美國卻相反地建立了一個長遠的傳統。

美國政治最基本的三大核心──聯邦分權、三權鼎立以及總統制，雖迭經修正，大體歷兩百多年而未曾動搖。相較之下，我們放眼全世界其他文明其他國家，包括許多號稱歷史悠久的老牌文明老牌國家，有哪一個擁有兩百年不曾大翻修大更動的政治體制呢？

## 極其穩定穩固的政治結構

從這點上，我們可以進一步了解：美國之所以能在其他領域承受那麼大幅的變動衝擊，還能在激烈的近代國家競賽中逐步脫穎而出，靠的就是穩定穩固的政治爲其後盾。認眞地說，兩百多年間，美國這套政治體系，只面臨過一次眞正嚴重的威脅，那也就是爆發南北大內戰的主因。南方爭取的不只是蓄奴的權利，他們還挑戰了州政府與聯邦政府的平衡分權，要脫離聯邦改立邦聯。林肯帶領的北軍獲得勝利，大家往往較爲著墨於其解放黑奴提升民權的人道意義，而忽略了在政治上維繫住既有結構的關鍵重要性。

南北戰爭之後，經過詭譎鬥爭，產生了妥協性的「翁利協定」(Wormley Agreement)，實質上對南方讓步，由南方本身決定如何處理黑人的民權問題。在南方白人的狡猾設計下，幾十年內南方黑人並沒有得到眞正的解放與平等，所以才會有一九五○年代以降更爲波濤壯闊的黑人民權運動。

從這個角度上看，南北戰爭對黑人的解放，只能說是爲德不卒。然而南北戰爭的結果，把南方留在聯邦體制裡，卻留下了以聯邦共同人道標準來壓迫南方改革的伏筆。有這樣的伏筆，才會有後來以聯邦最高法院及聯邦政府爲先鋒，逼迫白人主政的南方各州不得不解決種族歧視問題的發展。

我們應該從這個穩定而悠久的政治傳統來看美國總統這個職位，因而看出其內在的緊張性。美國總統是行政權的最高代表，他是由全民普選產生（雖然有複雜的選舉人團制中介，不

過基本上每個人都有權直接投票），競選過程必然與所有選民產生密集互動。總統制下，行政權與立法權為明確的監督抗衡關係，總統對行政部門有完整的操控授權，這點又和內閣制大不相同。在總統制下，第一是政黨的角色不那麼重要，第二是總統的個人地位與個人色彩更形凸出。內閣制中，總理或首相只是「同僚中的最高者」（first among equals），但總統和他任命的部長們卻不在同一個授權層次上，他是直接由人民投票賦予行政任務，個人負擔行政權的成敗責任。

換句話說，在這樣的安排下，注定總統是全國曝光率最高、知名度最高的政治人物。隨著美國國力的強盛興起，美國總統更進而成為全世界曝光率最高、知名度最高的政治人物。高曝光率、高知名度，容易讓人產生他同時也就擁有最大權力的錯覺，然而在現實裡，美國總統卻受到各方許多嚴格牽制。

## 美國總統權力外表與真實的落差

美國總統雖然最有名，然而他必須受國會牽制，也要受司法機關的管轄規範。前任美國總統柯林頓，因為任內美國經濟的強勁表現，獲得少見的民意超高支持度，可是司法院一樣幾度派出特別檢察官對他進行毫不留情的調查。一九九八年在他聲望最高點、在美國股市道瓊指數再度攻向萬點，所有關心美國經濟甚至世界經濟的人，都大聲疾呼不可在此時臨陣換掉政經總指揮官時，美國國會照樣依法提起彈劾案，依法在眾院展開激烈審問辯論。

　　美國總統還要受分權的各州州權牽制。他所擁有的是聯邦行政權，聯邦行政權只管聯邦事務，不能侵犯州權。美國總統還要受新聞媒體的嚴密監視、分析與批評。媒體不僅以「人民知的權利」為其尚方寶劍，隨侍在後，而且在長期商業運作及新聞專業要求下，媒體必然是「報憂不報喜」，和行政權處於尖銳對立狀態的。越是高知名度的政治人物犯了錯，越是有新聞與市場價值，相反地，如果報導高知名度政治人物有怎樣的豐功偉業，不但不容易取信於大眾，還會被懷疑是否踰越新聞倫理界限，收取人家什麼好處，惹來一身腥。

　　張力就在這裡。美國總統真正的權力和他的外表形象，其實並不相稱。他其實沒有大家想像那麼了不起的權力，可是既然外界都這麼相信也都這樣預期，登上這個位置的人，也就只能硬著頭皮去面對這項內在於美國總統職務的必然緊張關係了。

　　所以歷史上美國總統的成功與否，往往不只取決於他如何決定政策、推動政策，還得看他有沒有足夠智慧來處理政治現實與民眾認知之間的落差了。

　　在這點上，林肯又是個極凸出極有趣的例子。現在不只美國人，而是全球稍受美式文化影響所及的地方，都把林肯視為偉人，他的歷史地位再高不過。然而與林肯同時代的人，普遍對林肯沒這麼推崇，並且有許多無法磨滅否認的證據指出，林肯實在不是個多高明的政治決策者，他所帶領的政府更是效率不彰。比對當時評價和後世令名，就有刻薄的歷史學家歸納林肯能夠成就其不朽，主要靠三個條件：第一是他的蓋茨堡演說

辭，第二是他的第二任就職演說辭，第三是他不幸遭到暗殺。

這種說法刻薄歸刻薄，卻不是全無道理。兩篇鏗鏘有力的演說辭樹立了林肯崇高理想的地位，被暗殺的悲劇更使得他成了為理想獻身的烈士。更重要的，被暗殺的命運讓林肯不必去面對南北戰後棘手、錯亂的復興重建過程。依照歷史學家提供的明確資料，我們有充分理由擔心，如果由林肯來帶領戰後美國的話，不只是他的令名恐怕毀於一旦，美國的發展也會走上很不一樣的道路吧。

## 塑造總統形象的力量

林肯的例子說明了，要理解美國總統，我們必須理解塑造他們歷史形象的力量。兩百多年的歷史中，在背後決定美國總統形象，以及美國總統賴以和社會進行溝通的形式，迭經數變。最早期的總統們，離革命時期不遠，他們寫的文章遠比他們說的話來得重要。除了華盛頓比較特殊例外，其餘早期各任的總統，大概都同時身兼政論家，留下了重要的著作。為什麼如此？因為當時人民賴以認識他們的方式，最主要就是閱讀他們的出版著作。

接下來有一段時間，報社記者取代了總統本人，來宣揚傳達總統在想什麼做什麼。於是總統自身的書寫政論能力重要性大減，競選與施政開始與報社新聞運作邏輯纏捲在一起。總統要凸顯什麼議題，一方面要靠擲地有聲、可以讓記者抄錄分析的演說，另一方面則要靠不停的活動來提供記者報導的機會。

　　小羅斯福總統利用電台和選民進行「爐邊談話」，標示著美國政治又進入一個新的階段。聲音取代了文字，成為最有力的溝通形式。同時總統也取得了一個跳過媒體中介直接向選民訴求的管道。媒體——media——名稱本義中的中介意思，被迫做出重大的調整。總統可以直接利用個人化的聲音、腔調來說服民眾，媒體轉而擔負起檢驗、查證的角色，提醒民眾總統話中有話可能的潛在意涵甚至政策陰謀。

　　不過到這個階段，美國大眾對總統的認識畢竟還是很有限的。最出名的例子就是小羅斯福破例當了四任總統，帶領美國社會走過經濟大蕭條及第二次世界大戰，他不只出席各種重要的國內國際會議，還透過廣播對選民親密喊話，這樣的政治關係夠細緻了吧，然而許多當時的美國人甚至不知道他們偉大的總統因罹患小兒麻痺症而不良於行！

　　一九六○年甘迺迪與尼克森的激烈選戰，將美國政治史帶進了「電視時代」。民眾不只聽到，而且可以看到了，像小羅斯福那樣隱藏跛腳狀態的事情，不會再重演了。從此要當美國總統，先得要「望之似人君」，用英文講就是 look presidential。雷根是這個時期最具代表性的人物，他一站在鏡頭前面，看起來就像個充滿智慧充滿信心的政治家。不管媒體用多少其他形式流傳了多少他出軌、脫線的言行，美國人還是深信他比土頭土腦的卡特、木訥呆板的孟岱爾，更適合做總統。

　　不過也就在雷根任內，美國媒體捲起了另一波再次衝擊總統政治的革新。那就是透納(Ted Turner)及CNN帶起的「即時新聞」、「現場直播」風潮。「即時新聞」、「現場直播」使得政

治人物——尤其是總統——任何出軌、脫線演出都無法藏匿，甚至還會被聚焦誇大。當民眾在直播現場裡看到不小心的離譜演出，他們會相信這才是政治人物的「本來面目」。他們會用這些離譜演出的印象，推翻總統好不容易努力去建構起的公共形象。真與假、表面與內幕的角力，升高到前所未見前所未聞的最高層次。

梳理這些傳播力量的變化脈絡，可以讓我們有更清楚的視野，看見在不同的時代，美國總統不同的個性傾向。能言善道、機靈敏銳的柯林頓，如果被搬到十八世紀，一定沒機會做總統。反過來看，脾氣暴躁、是非標準極其絕對的老羅斯福，大概也沒機會在二次戰後的環境裡蛻變為受歡迎的全國性領袖。

梳理這些傳播力量的另一個用意，在於提醒讀者，美國總統能見度那麼高，知名度那麼高，但他們只是豐富的美國政治史中的一環，政治史中牽涉的其他面向，對美國的影響常常還超過總統，更不必提繞在政治外圍日日夜夜騷動不已的社會、經濟、文化潮流了。

## 「為賢者諱」立場的缺憾

《當上美國總統》提供了我們接觸美國總統的初步入手門徑。全書基本上記錄了比較正面的傳記資料，好處是可以同時當勵志讀物欣賞，然而卻也難免簡化了美國歷史的一些複雜糾結。

　　例如在傑佛遜那一章，就漏掉了在美國史上非常關鍵的傑佛遜與漢彌爾頓（Alexander Hamilton）的敵對衝突。這場衝突有私人因素，更有公共政策路線的大鳴大放。傑佛遜的勝利決定了美國自由放任的經濟與金融制度，使得美國管理貨幣的中央銀行體系整整遲了一百多年才出現，影響至鉅至遠。

　　當中也漏掉了近年熱鬧出土的傑佛遜與女黑奴的私生子故事。傑佛遜在這件事上，不管是蓄奴態度或婚姻道德操守，都顯然記錄不良。不過這件事反映了多少十八、十九世紀之交真實的美國情境！

　　可能也是基於「為賢者諱」的立場吧，這部《當上美國總統》提到了格蘭特（Ulysses S. Grant）總統卸任後寫的《回憶錄》(*Personal Memoirs of U. S. Grant*)，提到了這本書受到的好評，卻沒有提到格蘭特之所以會寫這本書，是被悲慘情勢所迫的。他兒子和別人合夥用他的名義開公司在華爾街炒作股票，結果一敗塗地，格蘭特晚年瀕臨破產，看在出版商開出的鉅額版稅，只好鬻文維生，奮力寫《回憶錄》的結果是積勞成疾，書還沒問世格蘭特就溘然謝世了！

　　雖然因秉持勵志的立場、「為賢者諱」的習慣，使得這套書少了許多鮮活趣味與歷史洞見，不過《當上美國總統》仍不失為有用的參考書，可以讓大家藉以進入美國歷史的堂奧，一窺美國總統的身世。在《當上美國總統》建立的堅實骨架上，有興趣的人自可以選擇去蓋不同的華廈美宅。

# 自由與紀律的角力
## ——閱讀《華爾街世紀》

> 華爾街如果只是充滿了機會、充滿了冒險投機的自由，它發展
> 不到今天的局面。反過來看，華爾街如果由某些固定寡頭力量
> ——包括政府的力量——來嚴格控管的話，它也不會有今天的
> 榮景。

　　下次再要到紐約去之前，不妨放掉手邊其他介紹、導遊的
書，把《華爾街世紀》好好讀一讀。我敢保證去到紐約之後，
你一定忍不住會在曼哈頓島上一路向南漫遊，一直到最南端。
你以前不是沒去過那一帶，因為往自由女神像去的渡輪就是從
南端港口出發，只是這次你發現自由女神像實在沒什麼好看好
玩的，你只想流連在華爾街上。

## 流連華爾街上尋找歷史

　　華爾街不再只是「世界金融中心」這樣抽象的概念。華爾
街不再只是兩旁高聳大樓夾擠著一道有如峽谷般難見陽光窄馬

路的人造奇景，華爾街上充滿了你想看的東西。

例如說你一定要去找到摩根銀行所在的大樓。因爲在這裡出現過一個全世界銀行史上空前而且也想必是絕後的大銀行家J.P.摩根（J.P.Morgan）。摩根的地位是空前的，因爲在他之前，全世界任何一個社會的資本主義體系和銀行金融業務從來不曾到達那麼高、那麼繁忙、那麼關鍵的層次。更重要的，除了美國之外，其他主要資本主義國家都早早建立了中央銀行的制度，以國家的力量，而非私人銀行家的經營本事，來主導銀行體系運作。

摩根在一九○七年時，幾乎是以一人的力量，阻擋住了擠兌風潮可能帶來紐約銀行體系整體崩盤的危機。如果沒有摩根，美國在一九○七年就要進入一波金融大亂，其效應或許會嚴重過一九二九年的歷史性「大恐慌」。

摩根的地位成爲絕響，因爲在摩根過世的那年，一九一三年，美國國會通過了「聯邦準備法」，終於給了鬧熱滾滾的美國資本系統一個保障性的安全閥——具有中央銀行功能的「聯邦準備理事會」。如果你把現在的聯準會主席葛林斯潘視爲偶像的話，那你更應該了解摩根，甚至去膜拜摩根留下的史跡。

找到摩根銀行大樓，你還可以順道仔細觀察牆上依然殘留的坑坑洞洞，你會知道這些坑坑洞洞留在這裡沒有被補平，並不是這家銀行疏於維修，而是爲了紀念一九二○年九月十六日，一輛停在摩根銀行旁的馬車突然爆炸，爆炸威力之大，使得整條街上三十條人命瞬間被奪走了。還有十人隨後死在醫院裡，受傷的更高達一百三十人。雖然這樁大爆炸案始終沒有查

《華爾街世紀》
約翰・葛登／著
時報文化公司

獲元凶，不過大家都猜應該是無政府主義恐怖分子幹的。無政府主義者「安那其」(anarchists)是二十世紀最浪漫卻也最可怕的一群人。他們為了一些抽象的原則，可以完全不在乎自己的生命，當然也不在乎別人的生命。八十年後，看著那些坑坑洞洞，我們彷彿也看到了安那其們對資本主義的深惡痛絕，他們恨不得能夠一舉炸掉整條華爾街，炸掉在他們眼中最邪魔的金錢套利，炸掉整個不義的資本主義。

　　然而華爾街自有其生命。爆炸的刹那，紐約證券市場主席掙扎爬上了高台，在爆炸發生不到一分鐘內就搖鈴中止了股市交易。沒有幾天，華爾街就恢復了熱絡交易的原狀。爆炸可能傷害了華爾街的外表，卻沒能碰觸到安那其分子最想消滅的資本金融交易本質。

　　在摩根銀行大樓牆上留下的這些痕跡，一方面可以解釋成是華爾街的自我警惕，得常常想想為什麼會激起人家必除之而後快的仇恨；另一方面又何嘗不是一種變形的勝利紀念碑呢？爆炸的出現證明了華爾街的重要性、華爾街的主導力量，以及華爾街的象徵地位。

## 華爾街自有其生命

　　的確，華爾街自有其生命。不只是現實的生命，而是有過程有來歷的生命。在並不長的華爾街上散步，得不到陽光直曬機會的陰冷風中，你會覺得到處都是陰魂，那些在華爾街成名的英雄、那些在華爾街殞滅的幽靈。

　　《華爾街世紀》當然不是一本導遊書，而是一本生動好看的社會史與制度史。一本成功的歷史書，本來就是會讓人產生想要重返歷史現場、撿拾歷史碎片來映照無窮故事的衝動。這種書，比導遊書更能幫助我們和一個原本陌生的情境快速扣連上，得到超過觀光以外更深刻更深層的感動。

　　《華爾街世紀》裡有無數發生在這個金錢高度集中區域的故事。不過貫串在無數好看有趣的故事背後，有作者自己的一套哲學與他從華爾街歷史中淬煉出來的透視相互映照。

　　《華爾街世紀》英文原名是 *The Great Game*，作者John Steele Gordon概念中的「大遊戲」，指的是在市場上求取利益的遊戲。這個遊戲之所以成其大，一來是因為它根源於人性中無可壓抑的貪婪本能，誰也擋不住遊戲的巨大吸引力；這個遊戲之所以成其大，二來是因為現代資本主義制度的發展，製造出了過去無法想像的巨量進出與恐怖賺賠可能性，而且進出與賺賠還會直接影響到數百哩甚至數千哩外的人們，華爾街遊戲可以衝擊、改變甚至從來不曾聽說過華爾街名字的人的命運。

　　這是遊戲，同時也是賭博，英文的game字義中原本就帶有的雙重性。遊戲空間的開放，同時也開放了一個可以將自己的

身家財產加上別人的身家財產一起當作賭注的超級大賭場。在
這個大賭場裡，Gordon蒐集的故事告訴我們，有人可以累積前
所未見的財富，卻也有人可以遭遇沉淪深淵的悲劇。

## 不只是冒險家的天堂

在排比這些故事時，Gordon卻試圖告訴我們，華爾街雖然
曾經是個冒險家的天堂，可是真正讓華爾街坐大、擴張其決定
性威力的，其實不是自由對賭的空間，而是刺激遊戲與遊戲規
則間、自由與紀律間永恆的角力過程。

華爾街如果只是充滿了機會、充滿了冒險投機的自由，它
發展不到今天的局面。反過來看，華爾街如果由某些固定寡頭
力量──包括政府的力量──來嚴格控管的話，它也不會有今
天的榮景。華爾街最特殊的地方，《華爾街世紀》告訴我們，
是它一直在試驗自由投機的界線，每隔一段時間，就會出現一
次自由過度擴張帶來的大災難。這些出於自利動機的華爾街人
士們，在災難中被迫激出創意，被迫去設計新的紀律規範。

書中不只一次明示或暗示，華爾街的經驗呼應了資本主義
理論之父亞當‧斯密「看不見的手」（invisible hand）的概念。
追求自利的個人會創造出一套同時也是最有利於集體大眾的制
度，如同受到一隻全知全能的看不見的手引導一般。

只是華爾街的經驗，給亞當‧斯密的概念至少兩項實質的
修正與補充。第一是，「看不見的手」要發揮作用，需要時
間。並不是一旦自由開放，「看不見的手」就立即讓物各歸其

位，私人利益與公共利益和諧共鳴。華爾街花了將近兩百年的時間，幾經曲折，才讓「看不見的手」真正使上力氣。

第二是，「看不見的手」的實質力量，就是自主團體的專業紀律。它必須是自主產生、不斷自主調整的，它必須獲得不被外力扭曲變質的獨立地位。每一次的金融大災難，就轉化為華爾街的一套新制度，制度當然不完美，但制度至少保證舊毛病不會重犯。

## 關鍵在專業紀律

我們應該從這個角度來吸取《華爾街世紀》的教訓。台灣目前遇到的所有問題，尤其是金融領域的問題，追根究柢，不就在專業紀律無法建立，制度無法保障一個大家可以公平追求自利的環境嗎？

所以讀完《華爾街世紀》後再去紐約的你，會在華爾街高聳的大樓間，恍惚聞到濃厚金錢銅臭中竟然夾混的某種嚴整秩序。你抬頭看那一個個開向街上的整齊窗戶，想像在二十世紀初年，紐約有任何重大遊行盛會時，遊行隊伍一定要經過華爾街。他們一到華爾街，從天空上會降下成千上萬迎風扭轉飄飛的長紙條，把氣氛推到最高點。紙條再混亂再熱鬧不過了，可是這些紙條的來處背景，卻是那最整齊的高樓窗戶，更有趣的，這些紙條其實都是各家銀行、證券公司賴以傳送股市即時行情的重要媒介，上面寫滿了股票訊息。

電子時代來臨後，用傳真紙條打出股市行情的作法落伍

了、被淘汰了,換句話說,每家公司都不會再儲存大量紙條可以拿來滿天亂撒了。可是遊行中的熱鬧已經成了傳統,於是每到遊行節慶前,市政府衛生局只好花錢買大量彩色紙條分發給華爾街的公司,讓他們盡情地丟盡情地撒,然後再動員大批人力把紙條清掃乾淨。

自由與紀律的辯證角力、感性瘋狂與理性制度間的辯證互動,都在這樣的想像中找到了最佳的象徵代表。這就是迷人的華爾街。

# 冒險與革命啓蒙的旅程
## ——讀《革命前夕的摩托車之旅》

整個美洲大陸其實面臨一個共同的問題，那就是它的國家都太年輕。年輕到沒有傳統、沒有成熟的文明教育，因此隨時可能爆發出驚人的暴力。暴力是不成熟的個人或團體試圖建立起秩序時，錯誤卻又不得不採取的手段。

《革命前夕的摩托車之旅》是拉丁美洲革命英雄切·格瓦拉（Ernesto Che Guevara），二十四歲與好友同遊南美洲所寫的記錄。八個月的時間內，他們從阿根廷穿越彭巴草原、安地斯山脈，進入智利，接著又經過了祕魯、哥倫比亞，才到達終點加拉卡斯。

長長的中文書名，兩部分都和書的內容不是直接相符的。老說「摩托車之旅」。格瓦拉和好友阿爾貝托在一九五一年十二月出發時，的確是騎著機車的，不過這輛拉波特拉撒機車在他們到達智利的聖地牙哥時，就報銷罷工了。往後另外一半的旅程，他們主要的交通工具，其實是沿路跟人家招攬拜託的便車。絕大多數都是卡車，而且是載滿各式各樣牲口物件的卡

《革命前夕的摩托車之旅》
切‧格瓦拉／著
大塊文化

車。書中記載最有趣最豐富的內容，實際上大部分發生在他們不再擁有摩托車之後。

## 摩托車的象徵意義

不過雖然如此，摩托車畢竟還是他們這次旅程相當恰當的象徵吧。摩托車的世界性象徵意涵裡，包括了年輕的、衝動的、危險的、隨性的等等，格瓦拉他們倒是在旅程中都有淋漓盡致的發揮。

十年前，我還記得，當兵最後的時日，不是很清楚自己退伍之後要做什麼。不是很想回到我已經待了四年的系裡繼續念研究所。我對系所裡的老師太熟悉了，更對經年累月堆積出來的正統、沉悶學風高度過敏。出國留學方面，申請的學校尚未有回音，加上自己在軍中因「思想問題」（多麼荒謬啊）而被政戰部調查，其中反覆聽到最多次的威脅就是「退不了伍」、「記過後不能出國」。

所以有一陣子夢想退伍後什麼事都不做，買一輛中古二手摩托車，花至少一年的時間去走遍台灣的城鎮鄉野，住那種最便宜最邊遠的旅店，需要生活費就寫小說賣稿子維生。那時浪漫地想，反正台灣各地一定藏滿了數不清、挖掘不完的故事，等待我去把它們寫出來。

摩托車便宜、省油。而且上山下海什麼地方都能到。而且保留了風吹日曬吃苦受罪的機會。

我後來到底還是出國念書去了，沒有去嘗試我的摩托車之旅。不過摩托車之旅所隱含的冒險、莽撞以及不顧一切的浪漫任性，我卻始終不曾忘懷。

格瓦拉的摩托車意味的也正是這種莽撞與任性吧。他學醫的優越社會地位沒有把他留住，嚴重的哮喘也沒有讓他認命安定，甚至連熱戀當中的情人都沒能遏制他「出遠門尋找新視野的衝動」（見頁八）。

因為莽撞、因為任性，這個旅程中充滿了飢餓與困頓，還有對未來行程的不確定。格瓦拉和阿爾貝托幾乎每天都在說謊騙取食物、住宿及便車機會。然而我們不要忘了，最終讓他們能夠走完旅程，光靠謊言、機巧是不夠的，依賴的其實是南美洲各國社會底層某種質樸的情義吧。有了這份未曾明說的情義作襯底，我們才有可能對格瓦拉他們耍的「周年慶」騙吃騙喝把戲感到莞爾，而不是厭惡憤怒。

## 革命意識的啓蒙

書名當中另外有「革命前夕」的字樣，這應該就是台灣的出版社加上去的了。格瓦拉當然是以革命聞名於世的，不過當他和阿爾貝托去旅行時，他的革命生涯卻是八字都還沒有一撇哩。一直要到兩年多之後，格瓦拉才認識卡斯楚，再過兩年，格瓦拉實際參與的古巴革命才正式登場。

　　單純從時序的意義，硬要說這是「革命前夕」的旅程，的確太牽強了些。不過如果我們把「革命前夕」解釋為意識、價值變化上的指涉的話，倒是意外地點出了書中某個重要的面向。

　　那就是格瓦拉在旅程中的幾個反省領悟，後來成了他革命信念中的主要骨幹。

　　領悟之一在於「泛美洲主義」的釐清。整個美洲大陸其實面臨一個共同的問題，那就是它的國家都太年輕。年輕到沒有傳統、沒有成熟的文明教育，因此隨時可能爆發出驚人的暴力。暴力是不成熟的個人或團體試圖建立起秩序時，錯誤卻又不得不採取的手段。不只是南美洲太年輕，連擁有高樓大廈、先進工業的北美洲，其實也都很幼稚。因此「泛美洲主義」可以讓美洲人意識上在一起，卻無法阻止，甚至反而造成了他們用殘暴、極端的手法彼此對待。南美洲國家不斷出現的政變、革命是如此，美國中情局在南美洲的胡作非為，又何嘗不是這種年輕狀態下的產物？

　　領悟之二在於，南美洲這塊年輕的大陸，因為被歐洲老牌國家的殖民而分割成許多國家。旅程中的經驗，必定讓格瓦拉更深切地體會到南美洲的一體感，國家是「不穩定」且「本不存在」的（頁二〇一）。南美洲真正的分割根本不在阿根廷、智利、祕魯等國界，而在印第安人、白種人、混血種等種族造成的隔閡。這點認識，才促成了格瓦拉後來深度介入古巴革命，最終死在玻利維亞的泛南美洲革命行動中。

　　領悟之三是南美洲的印加輝煌歷史，以及遭受的巨大殖民

傷痛。旅行親眼目睹庫斯科的遺跡之後，格瓦拉只能悲歎「大地的報復，和人爲的破壞比起來，微不足道」（頁一三九）。

　　這些是格瓦拉革命意識首度啓蒙，是革命前熱情引爆的導火線。

　　《革命前夕的摩托車之旅》是一本關於冒險以及關於南美洲革命意識的書，偏偏這兩者——不受旅行社擺布地探訪異地，以及南美洲的形成歷史——在台灣都是極端陌生的。書與大環境的齟齬，很可能會影響了書被接受的程度，不過同時卻也凸顯了書的難得價值。

# 文藝復興寬廣舞台上的曼妙雙人舞
## ——讀《佛羅倫斯水悠悠》

> 文藝復興時代的人們，必須跳過不再具有任何公信力、任何約束能力的教會標準答案，重新思考許多問題。為了要能夠回答這些問題，他們也就必須重新觀察這個世界，重新尋找可供利用的參考資料；更重要的，重新定位自己與世界、自己與上帝之間的關係。

《佛羅倫斯水悠悠》這本書在歷史研究上最重要的突破，是挖掘出了文藝復興時代兩大名人——馬基維利與達文西，竟然曾經短暫而密切合作過的一段故事。故事的時間是從一五○三年到一五○六年，故事的場景是佛羅倫斯，故事的主軸是一項要將亞諾河予以改道、興築一條人工運河，以便讓海船直接航行到佛羅倫斯，使佛羅倫斯的發展不必再受到別人掌控的海港牽制的龐大計畫。

## 兩人間的「神祕友誼」

　　幾個原因使得馬基維利與達文西的這段「神祕友誼」五百年來不曾受到重視。一個原因是，這兩個人雖然在後世歷史上留下了顯赫聲名，不過都對自己的生活記錄，採取了極端小心謹慎的態度。達文西早年曾經被人檢舉犯了雞姦重罪，這個經驗顯然嚇壞了他。馬基維利則是長期周旋在既複雜又血腥的佛羅倫斯宮廷政治裡，沒有這種歷練，他寫不出《君王論》那樣透視人性幽黯面的著作，不過有這種經驗，他當然會格外著意自我保護。

　　另一個原因是興築運河的偉大計畫，一直停留在構想階段，其實始終沒有做出任何成績來。馬基維利和達文西的互動是有一些副產品，例如多才多藝的達文西在佛羅倫斯圍攻比薩的戰役上，給馬基維利提供了許多軍事上的建議；而有權有勢的馬基維利也替達文西進行關說，讓達文西能順利進行維琪奧皇宮的壁畫工程。不過最有可能讓兩人的合作留名青史的亞諾河改道案，規畫了許久，畢竟不了了之，一五〇六年之後，這兩個人似乎就再也沒有什麼交集了。

　　還有一個，可能也是最重要的原因，那就是這兩個人都太有名了、太受到重視了，反而使他們的關係受到忽略。

　　在後世成形的歷史印象中，達文西是個天才洋溢、了不起的藝術家，是史上最著名的藝術品《蒙娜麗莎的微笑》的作者。《蒙娜麗莎的微笑》名氣之大，可以從一九七〇年代法國報社記者為了嘲弄設備簡陋、破舊的羅浮宮博物館所寫的尖酸

《佛羅倫斯水悠悠》
羅傑‧瑪斯／著
新新聞文化公司

報導看得出來。「據記者觀察估計：每位入館來參觀的旅客停留在館中平均是一個半小時（人家紐約大都會博物館的平均停留時間是三小時！），其中半小時花在找《蒙娜麗莎的微笑》，十分鐘瀏覽其他展品，剩下五十分鐘則用在找廁所及在廁所門口排隊。」

連鼎鼎大名的羅浮宮，對很多人來講都只是可以親眼看到《蒙娜麗莎的微笑》真蹟的地方，那麼我們應該不意外絕大多數的人知道的達文西，就只是那個畫了《蒙娜麗莎的微笑》的畫家。至於達文西一生的其他活動、其他能力，乃至他所處的時代背景，就都被掩蔽在「畫家」的單一身分中，而湮沒不見了。

馬基維利的遭遇也沒好到哪裡去。大家記得他的，也只剩下是《君王論》這本書的作者。《君王論》受到的重視歷數世紀而不衰，因為他引起的爭議也歷數世紀而難息。一部分人認為《君王論》洞悉了政治的本質，找到了理解古往今來一切政治統治的基本原則，並推崇馬基維利為現代政治學的開山祖師；然而另一部分人卻視《君王論》為敗德的大毒草，馬基維利鼓吹為達統治目的可以完全不擇手段、不受任何其他原則所拘限，這樣的理念必須為後世多少因殘酷統治所釀造的悲劇負責。

在重視與爭議中，馬基維利寫《君王論》以外的其他活

動、其他能力，同樣也就變得毫不重要了。

## 現代概念下的藝術家與政客

　　更糟糕、更麻煩的是，在後來發展的現代概念裡，尤其是
十九世紀所定型下來的社會形構分類中，藝術家與政客，藝術
作品與統治技術，是完全不同的兩種東西，是在精神、氣質、
意義上幾乎都截然相反的兩極存在。藝術是個人的，政治是公
眾的；藝術追求創意與自我表達，政治卻要求秩序、講究集體
意志；藝術家在複雜、世俗的環境裡，努力維持某種天啟式的
純真，抗拒從眾的力量，政治人物卻必須把最單純的事都弄得
複雜不堪，和所有人應酬敷衍，利用群眾才能取得權力。

　　這樣的概念，使我們先入為主，不相信最了不起的藝術家
達文西，和政治權謀終極代表的馬基維利之間，會有什麼樣的
關係。這樣的概念，使晚近的歷史研究者，就算站在檔案資料
前面，也不容易發現達文西和馬基維利的關係。

　　然而我們不要忘了，藝術家與政治家不可能有什麼性質交
集這種分類印象，是後世的產物，不見得符合達文西與馬基維
利所處的文藝復興時代的狀況。事實上，文藝復興時代的達文
西自己，根本不會有我們想像的「藝術家」的概念，他沒有立
志要做個我們認定的「藝術家」，他在我們以為的藝術活動之
外，還做了許許多多其他的事。

　　我們應該怎樣看待達文西這些林林總總的不同活動？一種
方式是將達文西視為不世出的天才，既能夠涉足人體生理解

剖，又有辦法在機械發明上，得到驚人的成果，強調其近乎是
前無古人、後無來者的多方頂尖才能集於一身的獨特性。另外
還有一種方式，則是將達文西的才能、成就，擺放回他所生的
時代，設法解答兩個關鍵的問題：什麼樣的歷史情境促成了達
文西的生命路徑？達文西自己怎麼看待這些不同的活動呢？

## 文藝復興時代的獨特性

《佛羅倫斯水悠悠》顯然採取了後一種方式，我們閱讀此書
的收穫，因而也就不在羨慕、景仰達文西與馬基維利這兩位歷
史名人的豐功偉績，而在透過他們為引路人，溯回到文藝復興
義大利的生活世界裡，一個與我們所處的現代社會很不一樣的
存在樣態。而達文西與馬基維利的作用，則是以他們的真實經
驗燭照出那個歷史時空的獨特性。

馬基維利與達文西的合作，期間短暫，而且存留的資料內
容相當有限，頂多一篇論文就可以處理得清清楚楚，羅傑‧瑪
斯特司（Roger Masters）卻把它寫成了厚厚一本專書，其用意就
在以這段兩人的接觸為引子，帶出交錯敘述的雙人傳，讓我們
同時明瞭這兩個人的一生經歷與思想。

把馬基維利與達文西並列，讓兩人生命如麻花般緊緊纏
捲，就可以非常明白地彰示出存在他們背後，提供他們如此多
樣表演可能性的文藝復興時代舞台了。瑪斯特司想要告訴我們
的，不只是在那個時間曾經存在過特定的這麼兩個人，更要緊
的是：只有在那個教會舊威權解構，科學新勢力卻又尚未開展

的文藝復興時代,才能容納這兩人的超凡故事。

文藝復興時代最大的特色,是中世紀長期教會神聖權力凌駕於世俗政治權力的架構不再能夠維持了。教會本身越變越世俗,十四世紀以降連續出現好幾位充滿世俗領土、權力野心的教宗,教廷內部的權力鬥爭比其他任何地方都還要骯髒、血腥,內鬥的最高峰甚至製造了「大分裂」,在羅馬和亞維農同時有兩個互相敵視互相攻訐的教皇,這樣的教會要繼續維持從聖彼得傳下來的神聖地位,當然是有困難的。

愈是接近教會教皇的義大利,愈早對教皇教會幻滅。薄伽丘的《十日談》,可以說是當時的八卦故事大總匯,我們看到那裡面最多、最好笑的笑話,幾乎都是針對教士而發的,也就測量得出教士階層在那個社會「向下沉淪」的嚴重程度了。

不過值得注意的,教會威權的瓦解,並不等同於基督宗教精神的式微。我們不要忘了,跟在文藝復興時代後面洶湧而來的,是十六世紀的新教運動以及十七世紀的舊教改革。一直要到十七世紀之後,一種外於宗教甚至反對宗教的新啟蒙理性才得以成長,科學也才慢慢取得思想價值上的典範地位。

文藝復興時代的位置,是中世紀固定的一套教會儀式,以及隱含在這個儀式中的神人關係,因為教會本身的腐化,而終於得以打破。教會威權打破之後,出現了一個廣闊的空間,聖經依然是真理的至高權威,不過教皇教士卻不再擁有解釋聖經、解釋一切世間事物的壟斷性權力。

## 重新定位自己與世界間的關係

文藝復興時代的人們，必須跳過不再具有任何公信力、任何約束能力的教會標準答案，重新思考許多問題。為了要能夠回答這些問題，他們也就必須重新觀察這個世界，重新尋找可供利用的參考資料；更重要的，重新定位自己與世界、自己與上帝之間的關係。

文藝復興時代是個大發現的時代。大發現的動能誘因，並不完全來自技術面（尤其是航海技術）上的進步。更根本的條件是過去由教會負責給予不容質疑不容偏差的標準答案，現在無效了。所以任何過去由教會掌握的知識領域，就都開放成為大家必須去探索的空間，毋寧是因為這樣的空間變數，才促成了各式各樣探索工具的改善吧！

達文西所做的一切，在現代被歸為「藝術」、「科學」、「醫學」等不同範疇的活動，在文藝復興時代其實具備統一的意義。那就是他一直在試驗、發明對「人」這個現象進行理解的各種手段、工具。

在教會威權籠罩的中古時期，沒有個別的人的呈現，沒有寫實的人的刻畫。人是一種形象化的存在，教堂壁畫上出現的耶穌、使徒與聖者，都只能用一種教會認定的固定模式來表現。而除了這些宗教人物之外，其他各行各業的活生生的人，正因為他們活生生，正因為人們不符合宗教人物典型，所以被認定為是不適合、不值得入畫的。

文藝復興時代，重新認識宗教偶像之外的人，甚至可以

說，發現了宗教形式之外的有血有肉有個性的人；不只這樣，文藝復興時代發現了宗教主觀認定以外，有血有肉有個性存在著的物質環境。達文西的畫，最早完成了一種刻畫血肉個性的寫實筆法，其寫實性來自於他對血肉個性人體的觀察、摸觸、測量與解剖。《蒙娜麗莎的微笑》的歷史性至高價值，就在畫中不是任何抽象的女性形象，而是一個血肉個性的蒙娜麗莎，可是蒙娜麗莎的寫實形影同時超越了血肉個性的蒙娜麗莎，觸及到某種人類永恆的純粹模式。以前中世紀規條相信，只有讓耶穌與使徒們不像任何凡人，他們才能超越凡人肉體瑣碎、可感特性的拘限，取得永恆代表性。然而達文西開啓其端，在比他年輕的米開朗基羅手裡發展到極致的新方法，卻是在具體的寫實性中淬煉出抽象永恆的代表。

## 創造對「新人類」的理解

　　達文西也用他的這套寫實性新原則，探索物質環境上的可能性。所以他成了最早最優秀的地圖繪圖家之一，他也是最早最優秀的軍事機械發明家。人眞實存在的空間、文藝復興時代義大利城邦間無止息的圍城戰爭，都不再能依靠上帝代言人——教會來規範疆界、定奪輸贏，於是人只好自己來摸索、自己來定義。

　　從同樣的這個角度，我們可以說，馬基維利在寫實性原則上，和達文西絕對是信仰一致的。達文西以視覺影像爲其手段，以具體的物質與肉體爲其對象；馬基維利則是以文字思維

作手段，拿同樣複雜切身的人際關係、統治鬥爭作對象。而兩個人所要達到的目標，都是擺脫原本籠罩在這些題材上的教會囈語，找到一個新的、寫實的代現圖像。

馬基維利《君主論》之所以駭人聽聞，正就在其大膽的寫實性。他並不覺得自己在做什麼樣驚世駭俗的事，只是在那個時代環境影響下，剝開了教會規定的一大套與現實脫節的人與道德的概念，逼視真實權力運作的考量，分析出真實統治裡最關鍵的因素。在精神上，和達文西去研究現實個別的人體，去設計發明機械，真的是完全相通一貫的。

文藝復興最寬廣的舞台，就是創造對「新生」、「新人類」的認識理解。那個時代的人為什麼上溯希臘、羅馬去尋求靈感？因為中古時期僵化模式不再具有任何效力。在這樣一個短暫時期中開放出來的寬廣舞台上，達文西和馬基維利都是非常傑出的表演者，他們的一舉手一投足都吸引了歷史的目光。《佛羅倫斯水悠悠》卻讓我們驀然察覺，原本大家以為的兩支精采的獨立單人舞，其實可以合而成為更曼妙的雙人舞，在雙人交映的生命舞姿中，我們聆聽到誘引他們翩翩起舞的那支既壯麗又細膩的文藝復興大曲子，因而為之心神眩惑。

# 第三輯

# 台灣雜誌發展小史

一

「要害一個朋友，就勸他去辦雜誌。」

這句在台灣文化界、出版界、新聞界流傳極廣極久的玩笑話，其中含藏了某些雜誌在這個社會特殊性質與特殊位置的真義。

雜誌在台灣，基本上被視為一種帶有理想性格的文化產品，辦雜誌因而也是值得尊敬與尊重的文化事業。雜誌從來都不是一般商品，所以「壹傳媒」的黎智英大舉進軍台灣時，坦言《壹週刊》就是商品，並且批評台灣辦雜誌的人太有「使命感」，才會被視為是那麼驚世駭俗的言論。

雜誌還有一個特色，就是開辦的門檻很低，維持的規模經濟也不大。尤其是在威權嚴格管控的時代，電視、廣播、報紙等大眾傳播管道，基本上都是特許行業，與國家體制緊密纏結，絕對不是一般人可以涉足的。即使到了晚近十幾年，報禁解除、有線電視開放、政治威權瓦解，這幾個媒體依然保持了高度資本密集、高度智慧密集的特色，阻卻了多數人想要進入的念頭。

　　相較之下，辦雜誌就比較接近人人可得而爲之的普羅夢想。只需要少量的開辦成本、幾百到幾千個基本訂戶，一本雜誌就能成形、存活。雜誌遠比其他媒體來得靈活，它一樣可以傳遞訊息、表達意見，然而其組織負擔可以降到最低，低到讓管制機關防不勝防的地步，發行上也可以依類一般郵政系統，發揮打游擊的效果。

　　雜誌的靈活性還表現在進可攻退可守的戰略位置上。發行量的擴張與縮減，在過去人事精簡的工作方式下，都能夠於最短時間內立即因應。所以懷抱夢想的人，就從擁有一本自己的雜誌開始，眺望未來雜誌的成長。

　　這種種特性，使得勸朋友辦雜誌，是件正當的事，是讓人聽得進去會認眞考慮的意見。不過雜誌卻也隱含了不容易從表面看到，只有眞正著手經營才能體會的風險。一個風險是再怎麼靈活再怎麼打游擊的雜誌，還是會被嚴密的言論禁網給找到；另一個風險是再怎麼低門檻低成本的雜誌，仍然牽涉到商業運作，只要是商業運作就是不賺則賠。

　　去辦雜誌的人，大概都是有主見有觀點的人，想多講點話難免就會碰觸到威權時代狹窄的言論尺度。而且在那個時代裡，對辦雜誌的人最大的誘惑是：越是踰越官方言論尺度的東西，越是有市場。於是前面的兩個風險又會連結在一起，形成兩難的互動。

　　去辦雜誌的人，大概都不是很有商業市場能力的人。而雜誌最大的壓力，其實來自於定期不斷的循環。每一期要出刊，每一期都要固定成本投入。這些成本單期單期算數字不大，長

期累積相乘就很可觀了。多少興沖沖的文化人一頭栽入雜誌工作裡，一旦營運出現不順遂，往往既無能力挽回頹勢，又無法即刻叫停，拖著繁瑣的編務與滾雪球般的債務，雙重壓力壓得痛不欲生。

因為有這樣的實際風險，所以勸朋友辦雜誌，最後十之八九是害了朋友。

二

台灣之有現代意義的雜誌，始自日據時代。

日據時代台灣知識分子辦的雜誌，因為與抗日民族運動關係密切，甚為受到重視，這些雜誌最大的特色是帶有高度的啟蒙色彩，而且往往選擇以文學作傳播啟蒙概念的主要工具，於是又和台灣新文學運動甚為貼近。

其中最有名最成功的是留日學生創辦的《台灣青年》。《台灣青年》創刊於一九二〇年，原本是「東京台灣青年會」的機關報，後來歷經擴張改名，由《台灣青年》而《台灣》（一九二二年）而《台灣民報》（一九二三年）而《台灣新民報》（一九三二年）。到改為《台灣新民報》時，也同時改制為日報，最高峰時報份超過五萬份，創下了最早最成功藉雜誌進而辦報的例子。

日據時代其他文學性雜誌，如《南音》、《福爾摩沙》、《先發部隊》、《第一線》、《台灣新文學》、《文藝台灣》、《台灣文學》等，因為刊載過新文學運動時期重要作家的重要作

品，也曾成為決定台灣新文學運動走向關鍵論戰的公共場域，在歷史研究上占有舉足輕重的地位。不過這些雜誌具有高度的同人性質，存在時間不長、發行期數不多，而且發行範圍更是不廣。以油印方式出版的《先發部隊》第一期，甚至可能只印行流傳了七十本左右。

日據時代真正比較穩定出刊、較具群眾基礎的漢文雜誌，當推《三六九小報》及《風月報》。這兩分雜誌雖然也還是具有一定程度的菁英性格（當時能識字會去買雜誌的，非是社會菁英不可），但其啟蒙運動性質甚為薄弱，以提供老一輩受漢文教育的士紳階層日常消閒娛樂為主旨。

一九三七年中日戰爭全面爆發前幾個月，為配合「皇民化運動」的進展，總督府下令禁絕漢文，此後除極少數例外（如《南風》），漢文雜誌在台灣消失了，要一直到戰後才得再見其蹤跡。

三

戰後初期動亂頻仍，台灣內部有新舊政權嚴重的文化扞格問題有待解決，外部又受到一日數變的大陸國共內戰情況牽制，自然沒有什麼雜誌可以復興開展的空間。

一九四九年國共內戰勝負底定，蔣介石帶領國民政府遷台；一九五○年韓戰爆發、美國第七艦隊巡防台灣海峽、台灣安全獲得了基本保障，接下來美國經濟援助注入台灣，台灣民生需求也才有了初步的舒緩。

在這種環境下，開始出現新的雜誌。五〇年代初期，雜誌界最大的動力來自政府機關的宣傳需求。一來是政府掌握了最多的資源，二來是討論內戰失利時歸納出的一條重要原因就是在宣傳與意識形態控制上輸給了中共，所以驚魂未定的國民政府在這個時期特別著重反共教育。在政府的認知中，萬一反共信念宣傳沒做好，重蹈被中共第五縱隊滲透顛覆的覆轍，那台灣也就完蛋了。所以雖然窮，遇到該做思想工作時，錢還是會優先撥發下去的。

首先出現的是國民黨的機關雜誌。隨著「改造委員會」的成立，而有了《改造》雜誌。一九五二年，《改造》更名為《中央半月刊》。內容上主要都是國民黨的總裁講話、開會決議，是明瞭當時政治決策構思的重要來源。另外一本具有長期意義的雜誌則是一九五〇年六月創刊的《軍中文摘》。《軍中文摘》後來歷經幾次改名，到六二年改版為《新文藝》。從《軍中文摘》到《新文藝》，配合軍中許多苦悶流離青年的背景，意外掀起了五〇、六〇年代台灣的軍中文學潮流。在左營服役的一批軍官們以詩會友，出版了《創世紀》詩刊，與北部紀弦創辦的《現代詩》遙遙呼應，再加上《藍星》，塑造了台灣五〇、六〇年代的現代詩盛況。

五〇年代還有一本由官方出資，原意為宣傳以民主自由來對抗共產極權意識形態陣營立場的雜誌，後來卻變調走樣，反而打出了一片預期不到的天地。這本雜誌就是《自由中國》。《自由中國》一九四九年創刊，最早由教育部出資補助，然而在雷震的主導下，《自由中國》與國府官方立場越行越遠，反而

成了少數自由派知識分子的集結地。《自由中國》對外拉到胡適為其精神領袖，對內又有包括殷海光在內的幾枝大筆，能言敢言，吸引了大批讀者。國府對雷震的「失控演出」恨在心裡，可是表面上卻不能公開反對「自由民主」的美式口號，怕失去美國的支援。如此忍耐數年，《自由中國》從言論層次逐漸升高到結合本土菁英組反對黨參加地方選舉的實質行動，國府大為震驚，終於在六〇年以「匪諜案」羅織雷震下獄，關掉《自由中國》，暫解心頭一大憂患。

## 四

　　《自由中國》雖然停辦，它作為雜誌典範意義非但沒有消逝，還與時俱進。《自由中國》主要的典範之一是：彰顯了「自由民主」的宣傳口號與法西斯威權的政治現實間，存在著龐大落差。這個落差是台灣政治改革的契機，也為遊走檢查邊緣的政論雜誌保證了龐大的市場潛力。《自由中國》還立下了另一個典範，那就是雜誌的社會地位可以靠被封社查禁來取得。

　　原本標榜是「生活的、文藝的」的《文星》雜誌，在《自由中國》寂滅後的六〇年代，取而代之扮演了向威權挑戰的啟蒙角色。《文星》轉型的關鍵人物當然是李敖。李敖不像雷震、殷海先那樣從演繹民主真諦、規畫民主制度著手，他以潑辣煽動的文字、高舉「反傳統」的旗幟，毫不留情地揭發國府政權賴以成立的民族主義意識形態，底層矛盾錯亂的地方。他更擅長於掀開政治人物的今昔對比不一致的面貌，解構維持權

力所需的冠冕堂皇神話裝飾。

《文星》畢竟還是以李敖坐牢、雜誌停刊付出慘重代價。繼之而起的則有一九六八年創刊的《大學雜誌》。因應時代的變化，儘管在挑釁政治威權主題上，《大學雜誌》與《自由中國》、《文星》一脈相承，然而《大學雜誌》集結的新輩知識分子，一則多了留美的經驗，二來多了西方式社會科學的視野，三則多了與實際政治權力間不完全是惡性的互動。

《大學雜誌》並未遭到查禁命運，而是在蔣經國的新接班政治強力運作下，被分化而萎縮了。分化之後一部分比較溫和的知識分子積極參與了蔣經國的新人新政，一部分批判立場較激烈的，則轉戰到別的地方，開啟另一支雜誌系譜。

這個系譜的元祖，是一九七五年創刊，發行三期後被查禁停刊的《台灣政論》，繼之而起的則是一九七九年內接連創刊的《八十年代》與《美麗島》。從《台灣政論》到《美麗島》，台灣經歷了「中壢事件」，新生代反對政治勢力已然萌芽，《八十年代》背後有康寧祥、《美麗島》背後是許信良、施明德等人，雜誌與政治直接聯繫，《美麗島》雜誌社甚至還成了串連組黨的根據地。更重要的，由政治上「黨外」而衍生出「黨外雜誌」專有領域。

八〇年代早期，在「美麗島事件」後，台灣政治圈最主要的反對運動，就是編雜誌賣雜誌；反過來看，台灣雜誌界最大的騷動，也是黨外雜誌如雨後春筍般頻頻湧冒，在報攤在書店和警總檢查系統大捉迷藏，也在社會底層悄悄進行政治啟蒙的潛移默化作用。

　　「黨外雜誌」主要有《八十年代》、《亞洲人》的系統，有《鐘鼓樓》、《蓬萊島》的系統，有《深耕》、《生根》的系統，有《前進周刊》的系統，還有《自由時代》的系統。這些複雜的系統幾經變化，後來成了民進黨派系的前身、雛形。

　　與「黨外雜誌」屬同時期，卻執守相反極端右派愛國主義立場的，有《黃河》、有《疾風》，在當時也都曾備受注意。《美麗島》雜誌在中泰賓館舉行創刊酒會時，《疾風》動員聚眾在門口示威，甚至成為台灣民主政治史上極為重要的一頁。

## 五

　　回到五〇年代。在那個極度封閉苦悶的時代，在那個威權籠罩一切的時代，文學成了很難得的出路。所以我們看到除了前面提到軍中系統的文學雜誌以外，這個時期還出現了好幾本私人興辦的重要雜誌，幾乎都是以文學為主旨為號召的。

　　一九五六年台大教授夏濟安創辦《文學雜誌》，提供了園地讓一群青年學生得以發表創作作品。《文學雜誌》停刊後，這批夏濟安在外文系指導的學生，自己創辦了《現代文學》堂皇接棒。《現代文學》展現了大學生初生之犢不怕虎的活力，在短短幾年內刺激、刊登了台灣現代主義早期最重要的作品，又透過與報紙副刊的合作，捧紅了白先勇、王文興、歐陽子等一班文學明星。

　　一九五九年，尉天驄從任卓宣手中接下《筆匯》半月刊，將它徹底改頭換面成為文學雜誌，與《現代文學》相互呼應。

《筆匯》作者有一部分與《現文》重疊，然而另有像陳映真、郭楓等則是《筆匯》自己挖掘培養的好手。《筆匯》停刊後，尉天驄又在一九六六年辦了《文學季刊》、一九七三年改辦《文季季刊》，這幾本雜誌一脈相承，在文學作品中展現了台灣少見的左派視野。在理論自覺上強調關懷被迫害的下層民眾苦痛，以寫實手法揭露社會不公不義，不絕如縷的主張到了「鄉土文學論戰」中獲得大大弘揚的機會。

經歷「鄉土文學論戰」之後，這系左派文學理念也大幅政治化，進而就與《夏潮》雜誌匯流。

開端自五○年代卻又能源遠流長的文學雜誌，尚有《幼獅文藝》與《文壇》值得一提。《幼獅文藝》創刊於一九五四年，其背景也是公家支援，但卻與民間作家有非常密切的互動。《文壇》的情況卻恰好相反，雖然由穆中南私人創辦主持，但卻大量刊用軍中作家作品，而且透過辦講習班等方式與軍中青年保持密切互動。《文壇》屹立三十三年之久，凸顯了穆中南在經營雜誌上的用心與堅持。

五○年代崛起的另一位雜誌名人，是辦《皇冠》的平鑫濤。《皇冠》走出和其他文學雜誌都不一樣的大眾品味路線，《皇冠》的成功策略還包括將雜誌與出版併行發展，互相宣傳、互相拉抬，以及用重金與巨大篇幅培養具有潛力的通俗作家等。

# 六

　　除了平鑫濤之外，另一個不能不提的雜誌界傳奇人物是辦
《傳記文學》的劉紹唐。《傳記文學》在一九六二年六月創刊，
立刻寫下了連續七期再版的驚人記錄。《傳記文學》的成就，
完全依賴劉紹唐的眼光與原則。《傳記文學》開辦至今近四十
年幾乎沒有改變過版型設計，這種高度保守性，大概也是創下
雜誌史記錄的。沒有任何花俏花樣，卻還能吸引許多讀者按期
閱讀，關鍵在劉紹唐「開野史館，讓回憶百家爭鳴」的態度。

　　這種態度一來正對上了台灣嚴重的記憶禁錮、記憶貧乏的
環境，二來也讓許多人可以藉此溝通、交換乃至竄改自己的生
卒經歷，對在意身後聲名歷史評價的人大有號召力。不過當然
要能立起如此標準，還要能一路堅持，三十多年如一日、至死
方休，其難度其辛苦非外人能想像的。

　　和《傳記文學》同時期出現的雜誌，共同特色是開始訴求
分眾。一九六八年十月就問世的《婦女雜誌》，是最早針對女性
讀者而辦的雜誌。《婦女雜誌》雖然沒有鮮明激烈的女性主義
自覺，然而在提供傳統家庭主婦所需的情報資訊之餘，《婦女
雜誌》容納了大量的「軟性新聞」，從國內外的時裝潮流變化到
藝文界的人物深度訪談，擴展了台灣雜誌內容的廣度，躲在
「婦女」的招牌後面，反而獲得當時社會氣氛中不容易開拓出的
多元空間來。

　　另外在一九七〇年出現了《科學月刊》，以普及科學教育為
其宗旨。《科月》除了其結合科學專業與普及的社會理念之

外，另一個重要特色是自覺地標榜是「海外學人」辦的雜誌。這點上《科月》又和前面提過的《大學雜誌》有明確交集，再加上同時期高信疆在《中國時報‧人間副刊》上主持的「海外專欄」受歡迎程度，清楚看出經過前一波留學潮，七〇年代留美學生成長為留美學人，在台灣知識界思想界開始扮演起舉足輕重的火車頭角色。

稍早一九六五年有《劇場》，一九六六年有《世界電影》的創刊。這兩本雜誌，在精神上有一部分承襲《筆匯》、《現代文學》，都相當熱中於引進西方的文藝理論、概念；然而和《筆匯》、《現文》不同的是，這兩本雜誌將視野開展到劇場、電影，尤其是電影這項大眾性的文本可以集結足夠讀者社群，同樣彰示了這段時期美國文化對台灣的強烈影響。

一九七一年，製造美術用品的「雄獅」公司創辦了《雄獅美術》，初期發展策略是強調「兒童美術」，順便附加與美術教育相關的藝術資訊，這種方式就不只是分眾訴求了，還進一步以雜誌與商品相結合，用雜誌來明確對準具有商品客戶潛力的讀者社群，這種作法到了八〇年代變得相當普遍。一九七五年，原本是《雄獅美術》主要幹部的何政廣獨立門戶創辦了《藝術家》，形成了兩大藝術雜誌對峙的局面。這種狀況維持了十幾年，一直要到八〇年代後期，台灣高度富裕熱錢滿地的情況下，炒作藝術蔚為風潮，畫廊急速增加，廣告預算也跟著水漲船高，一下子冒出許多美術雜誌，打破了《雄獅》與《藝術家》二分天下的局面。然而一陣熱鬧繁華過後，美術市場又漸趨平寂時，李賢文收掉了《雄獅美術》，美術雜誌市場除了老牌

的《藝術家》外，只剩邱永漢投資，屬《財訊》集團旗下的《典藏》較具規模。

　　還有一本針對非常明確閱讀社群而辦的雜誌，是一九七三年創刊的《音樂與音響》。創刊號版權欄列著：「發行人張繼高、主編吳心柳」，其實張繼高就是吳心柳。「音樂」與「音響」是張繼高非常用心設計出來的雜誌經營策略，他真正的興趣理想是「音樂」，可是他知道光憑音樂的愛好者支持，不足以聚集足夠資源辦一本雜誌，所以他拉了「音響」進來，一方面吸引有錢有閒的「發燒友」，另一方面也著眼於音響廠商的廣告收入。這樣策略穩紮穩打，證明是成功的。《音樂與音響》不只是一本雜誌，它還是許博允的「新象」崛起前，台灣最重要的音樂藝術表演的國際代理經紀公司，引進了許多重要的團體。

　　一九七二年出刊的《書評書目》，是另外一本野心不大的分眾刊物。《書評書目》由洪建全基金會資助，以出版為焦點。不過當時台灣出版業以文學最為主流，所以《書評書目》的內容也就自然傾向於文學方面，從編者到作者，《書評書目》集合了當時年輕新生代的佼佼者，從隱地、詹宏志、周浩正到洪醒夫等人，意義非凡。

## 七

　　七○年代雜誌發展的另一個突破是逐漸打破了雜誌界的強烈「文人性」，除了官方雜誌與文人知識分子辦的雜誌外，開始出現了與產業互動頻密的新定位。這項變化連動帶起了雜誌經

營上的新視野。在此之前,雜誌主要依賴讀者購閱為收入大宗;在此之後,廣告來源廣告收入在雜誌生存上扮演的角色,越來越重要。

一九七四年有《管理雜誌》創刊,標示著台灣中小企業開始有了管理知識上的自覺需求。一九七五年《建築師》雜誌出現,呼應了石油危機之後,台灣快速成長的房地產與建築業在尋找新團體認同。一九七六年,老牌健康雜誌《健康世界》出刊,編務由兩位醫師文榮光和王溢嘉主持,訴求「家庭醫學」的新觀念與新行業慢慢在台灣生根成長。

這波潮流,在八〇年代早期到達熱鬧最高點。因應著政府政策上對半導體工業的重點輔導,一九八〇年出現了與「資策會」關係密切的《資訊與電腦》,創刊號第一篇文章還是李國鼎寫的。接著一九八一年又有施振榮出資的《0與1科技》,一九八二年有《第三波》。這些雜誌剛出來時都是以硬體科技知識為重點,溝通對象也是業內專門人員,然而隨著電腦的普及,電腦相關雜誌越辦越多,性質上也就越來越趨近電腦的使用者而不是電腦的製造商。

電腦相關雜誌最激烈的革命,發生在《資訊與電腦》出現十六年後。一九九六年,詹宏志主導的《PC home》問世,完全放棄製造端的資訊,徹底著眼在教導使用者如何操作運用各種軟硬體,一時掀起搶購熱潮,一方面奠下了「PC home」集團的基礎,另一方面也引領出另一波電腦雜誌大量出現的跟風。

一九八〇年還出現了以股市分析為主力的《財訊》雜誌。在台灣股票證券市場還不是很熱鬧的年代,《財訊》主打「邱

永漢主編」為其號召，形式上也很樸素，不過到了八〇年代後期台灣股市狂飆，《財訊》成了大熱門，除了形式上改為翻製日本月刊版型外，內容上也增加了許多政商新聞分析，更進一步成長為一個包括《財訊快報》（日刊）、《今周刊》等多雜誌的集團。

一九八一年有《天下》創刊，標榜 A Business Monthly，正式開拓出「商業專業雜誌」這個領域。在高希均與殷允芃的經營下，《天下》很快就成長為台灣深度商業資訊的交流中心，也同時成了台灣商業廣告的大聚集地。這樣的成功經驗，刺激了《卓越》等雜誌跟進，也刺激了老雜誌《管理雜誌》的改版轉型。《天下》成功後，高希均又創辦了《遠見》，並且發展出版事業，構成另外一種集團形式。

八

至於著眼廣告經營來辦雜誌的路線，必須一提的是樺舍集團的劉炳森。劉炳森最大的貢獻，一在於操作引進國際雜誌授權，並進行本土轉化；第二則在於建立了女性流行雜誌在台灣的經營模式。劉炳森最早引進《Elle》，編輯上走全彩豪華路線、講求視覺效果，發行量不必大，只要定位清楚，能夠吸引對的讀者，也就能找到化妝品、時裝、皮包皮鞋品牌廣告大量挹注。國際中文版封面不用中文刊名、全數橫排、酌加本土內容等等這些手法，後來就定型化成為所有此類雜誌共同遵守的規範。

　　劉炳森經營、鄭林鐘負責編務的《People》，將美國版的周刊改為月刊，並大量穿插本土訪問、照片，是大膽的突破操作。然而可惜一來市場支持不夠，二來沒有像女性流行雜誌那麼明確的廣告源，因而授權到期就停刊了，頗令人遺憾。

　　廣告主導性很強的還有旅遊雜誌。一九九七年創刊的《ToGo》曾引起不小騷動。旅遊雜誌因應國人觀光風氣大開的社會趨勢，有一定的讀者群，更重要的是保證有旅行社的廣告預算，所以氣勢頗旺。

　　汽車雜誌是另外一個大宗主流，《行遍天下》結合汽車與旅遊，曾經一度是台灣平均每月廣告量的盟主。另外有台灣普遍生活品質提高後，以吸引建材、家具廣告來運作的室內設計雜誌，《摩登家庭》走舊式的中產品味路線，較晚創刊的《雅砌》、《Dialogue》、《室內》則有更強的設計性與更清楚的雅痞品味傾向。

## 九

　　最後要談談周刊市場的變化。八〇年代分眾化趨勢出現後，在日報與月刊夾擠下，周刊空間相對狹窄。一九七八年創刊的《時報周刊》後來逐漸走出一條綜合性路線，緊隨其後的有《獨家》、《翡翠》、《美華》等。八〇年代中後期政治情勢大變動，意外替政治性周刊打開寬廣市場，於是從黨外的《自由時代》到《民進周刊》到《新新聞》，在這個時期引領過一段風騷。一九八七年雖然也創刊了《商業周刊》，不過《商周》在

《天下》等強勢月刊威脅下，前幾年發展相對弱勢，一直要到九
〇年代中期，台灣商業化更普遍更深刻了，才轉而成為台灣最
強勢的媒體之一。

　　雜誌發展還有許多主題可談，尤其是近十年變化最為熱
鬧。不過最近發展一方面尚未塵埃落定，另一方面大家記憶猶
新，不屬歷史記錄研究範圍，所以詳古略今，應情有可原吧！

# 楊照創作年表

1963年　出生於台北

1975年　寫出第一篇小說〈飛機〉。

1976年　發表第一首詩〈潮〉在《北市青年》上。

1977年　正式對外發表第一篇小說，〈約會〉刊登在《中華日報》副刊上。

1977　　三年內在各種詩刊上發表超過八十首詩。

～80年

1982年　短篇小說〈文革遺事〉，散文〈在我們的時代〉參加「時報文學獎」，都進入決選，不過都未得獎。

1983年　完成中篇小說〈流昀〉。

1986年　服役中開始撰寫系列散文「軍旅札記」。

1987年　出版第一本短篇小說集《蓮花落》（圓神出版社）。

　　　　赴美留學。

　　　　出版第一本散文集《軍旅札記》（圓神出版社）。

　　　　出版中短篇小說集《吾鄉之魂》（時報文化出版公司）。

1988年　在《自立晚報》本土副刊連載長篇小說《大愛》。

1989年　寫完二十四萬字的《大愛》。寫中篇小說《往事追憶錄》。

1990年　　寫中篇小說《變貌》。

　　　　　以〈胖〉一文獲《聯合報》小說獎。

1991年　　出版《大愛》（遠流出版公司）。

　　　　　出版中短篇小說集《獨白》（自立晚報）。

　　　　　出版文化評論集《流離觀點》（自立晚報）。

　　　　　以〈落髮〉一文獲《聯合報》小說獎。

1992年　　獲「賴和文學獎」。

　　　　　出版短篇小說集《紅顏》（聯合文學出版社）。

　　　　　寫長篇小說《暗巷迷夜》。

1993年　　出版短篇小說集《黯魂》（皇冠出版公司）。

　　　　　出版文化評論集《異議筆記》（張老師文化公司）。

　　　　　出版文化評論集《臨界點上的思索》（自立晚報）。

1994年　　以〈家族相簿〉獲吳濁流文學獎小說正獎。

　　　　　整理重出《軍旅札記》，改書名為《飲酒時你總不在身
　　　　　邊——軍旅札記》（皇冠出版公司）。

　　　　　出版《暗巷迷夜》、小說集《往事追憶錄》、《星星的
　　　　　末裔》（聯合文學出版社）。

　　　　　獲「吳三連獎」（小說類）。

1995年　　《暗巷迷夜》獲《中國時報》開卷版選為年度十大好書。

　　　　　以〈天堂書簡〉獲「洪醒夫年度小說獎」。

　　　　　出版文化評論集《痞子島嶼荒謬紀事》（前衛出版社）。

　　　　　出版文學評論集《文學的原像》及《文學、社會與歷
　　　　　史想像——戰後文學史散論》（聯合文學出版社）。

1996年　《文學、社會與歷史想像》獲選爲《聯合報》讀書人
　　　　版年度好書。
　　　　在《中國時報》人間副刊撰寫「三少四壯」專欄。
　　　　出版散文集《迷路的詩》（聯合文學出版社）。
　　　　出版文化評論集《倉皇島嶼》、《人間凝視》（遠流出
　　　　版公司）。

1997年　獲選爲出版界年度風雲人物。
　　　　專欄文章結集爲《Café Monday》。（聯合文學出版社）
　　　　出版文化評論集《在我們的時代》（大田出版公司）。

1998年　出版文學評論集《夢與灰燼——戰後文學史散論二集》
　　　　（聯合文學出版社）。
　　　　出版文化評論集《知識份子的炫麗黃昏》（大田出版公
　　　　司）。

1999年　出版文化評論集《Taiwan Dreamer》（新新聞文化公
　　　　司）。
　　　　出版運動散文集《悲歡球場》（新新聞文化公司）。

2000年　出版運動散文集《場邊楊照》（新新聞文化公司）。
　　　　在《勁報》撰寫「我的二十一世紀」專欄。

2001年　出版文化評論集《那些人那些故事》（聯合文學出版
　　　　社）。
　　　　在《中國時報》人間副刊撰寫「三少四壯」專欄。
　　　　在《聯合報》副刊撰寫「時空交纏」專欄。

2002年　出版長篇小說《吹薩克斯風的革命者》（印刻出版公司）。

出版散文集《新世紀散文家：楊照精選集》（九歌出版社）。

出版散文集《為了詩》（印刻出版公司）。

2003年　出版文化評論集《我的二十一世紀》（印刻出版公司）。

楊照作品集　3

**INK**
PUBLISHING　在閱讀的密林中

| | |
|---|---|
| 作　　　者 | 楊照 |
| 總 編 輯 | 初安民 |
| 責任編輯 | 黃筱威 |
| 美術編輯 | 許秋山 |
| 校　　　對 | 呂佳真　黃筱威　楊照 |

| | |
|---|---|
| 發 行 人 | 張書銘 |
| 出　　　版 | **INK**印刻出版有限公司 |
| | 台北縣中和市中正路800號13樓之3 |
| | 電話：02-22281626 |
| | 傳真：02-22281598 |
| | e-mail：ink.book@msa.hinet.net |
| 網　　　址 | 舒讀網http://www.sudu.cc |

| | |
|---|---|
| 法律顧問 | 漢廷法律事務所 |
| | 劉大正律師 |
| 總 代 理 | 展智文化事業股份有限公司 |
| | 電話：02-22533362・22535856 |
| | 傳真：02-22518350 |
| 郵政劃撥 | 19000691　成陽出版股份有限公司 |
| 印　　　刷 | 海王印刷事業股份有限公司 |

| | |
|---|---|
| 出版日期 | 2003年 6月　　　初版 |
| | 2007年12月12日　初版二刷 |
| ISBN | 978-986-7810-44-1 |

定價　220元

Copyright © 2003 by Yang Chao
Published by **INK** Publishing Co., Ltd.
All Rights Reserved
Printed in Taiwan

國家圖書館出版品預行編目資料

在閱讀的密林中／楊照 著.－－初版，
　－－臺北縣中和市： INK印刻，
　2003.6　面 ；　公分（楊照作品集；3）
　　ISBN 978-986-7810-44-1 （平裝）
　　　　1.書評

　011.69　　　　　　　　　　92005216